Opere di Oriana Fallaci

I SETTE PECCATI DI HOLLYWOOD, 1958

IL SESSO INUTILE, 1961

PENELOPE ALLA GUERRA, 1962

GLI ANTIPATICI, 1963

SE IL SOLE MUORE, 1965

NIENTE E COSÌ SIA, 1969

QUEL GIORNO SULLA LUNA, 1970

INTERVISTA CON LA STORIA, 1974

LETTERA A UN BAMBINO MAI NATO, 1975

UN UOMO, 1979

INSCIALLAH, 1990

LA RABBIA E L'ORGOGLIO, 2001

LA FORZA DELLA RAGIONE, 2004

ORIANA FALLACI INTERVISTA SÉ STESSA ∞ L'APOCALISSE, 2004

ORIANA FALLACI
intervista
sé stessa

L'Apocalisse

RIZZOLI
International

ISBN 88-17-00684-X

ORIANA FALLACI INTERVISTA ORIANA FALLACI

Prima edizione: settembre 2004
Seconda edizione: settembre 2004
Terza edizione: settembre 2004
Quarta edizione: settembre 2004
Quinta edizione: settembre 2004

ORIANA FALLACI INTERVISTA SÉ STESSA
❧
L'APOCALISSE

Prima edizione per il cofanetto «La Trilogia di Oriana Fallaci»:
dicembre 2004
Seconda edizione: dicembre 2004
Terza edizione: dicembre 2004

Prima edizione in volume singolo: gennaio 2005

Ai Lettori

Tutti i giorni l'elenco delle persone rapite poi decapitate o sgozzate o per loro fortuna freddate soltanto col colpo alla nuca si allunga, e dedicargli un libro diventa sempre più difficile. Perché, mentre il libro va in stampa, altre vengono rapite poi decapitate o sgozzate eccetera. E quando giunge in mano al lettore, l'elenco risulta incompleto. «La Forza della Ragione» uscì con la dedica ai morti di Madrid e due mesi dopo dovetti estenderla a Nick Berg, a Paul Johnson, a Kim Sun, i due americani e il sudcoreano che perpetuando il rito inaugurato col giornalista Daniel Pearl i macellai di Allah avevano decapitato col coltello a sega. Dovetti estenderla anche a Fabrizio Quattrocchi e al cuoco Antonio Amato e al marò Matteo Vanzan, cioè agli italiani ammazzati in nome del Dio-Misericordioso-e-Iracondo. E credevo che per un po' di tempo questo bastasse. Invece due settimane dopo l'infernale mattanza ricominciò. Compresi che per dare l'elenco completo avrei dovuto aggiornare la dedica ad ogni edizione, cosa impossibile, e dovetti fermarmi lì.

I

Accadrà anche stavolta, non illuderti. E in tale consapevolezza ora dedico quest'ultimo libro della mia piccola trilogia alle creature che dallo scorso giugno ad oggi, novembre 2004, i macellai di Allah hanno ucciso come nei sacrifici umani con cui i barbari dell'antichità rendevano omaggio ai loro dèi assetati di sangue. Unica differenza, il fatto che dei sacrifici umani celebrati nell'antichità non esiste un filmato. Per immaginarli bisogna affidarsi all'archeologia. Oggi, invece, il filmato c'è. Quasi sempre. Almeno in parte viene regolarmente trasmesso da ciò che chiamo il Ministero Informazioni di Al Qaida cioè dal canale televisivo Al Jazeera. Per intero, dai siti Internet che spronano alla Guerra Santa. E in ogni caso chiunque può comprarlo al mercato di Bagdad dove i video dell'orrore e del macabro inventato dal terrorismo islamico sono veri best-seller. A una sola bancarella, seicentocinquanta copie in dodici ore. Dettaglio dal quale deduci che nelle buone famiglie della capitale irachena il divertimento preferito è godersi lo spettacolo d'un uomo bendato a cui in nome del Dio Misericordioso e Iracondo i boia mascherati nonché incappucciati col kaffiah leggono la sentenza di morte poi tagliano la gola o mozzano la testa col coltello a sega. E tanto meglio se prima che il coltello a sega recida le corde vocali la vittima si raccomanda, si dispera, grida come Kim Sun: «Non voglio morire. Vi prego, non fatelo, non voglio morire». Il video di Quattrocchi che muore con la dignità d'un eroe risorgimentale, infatti, non è mai andato in commercio. I siti che spronano alla Guerra Santa non l'hanno mai diffuso. Al Jazeera non l'ha mai trasmesso e rifiuta perfino di consegnarlo alle nostre autorità. (Ma è solo per evitare che i «resistenti» ci facciano una brutta figura e che invece d'eccitarsi i loro ammiratori si vergognino, nel caso di Quattrocchi, o perché nel nastro c'è qualcuno che non si deve vedere? Un collaborazionista no-global, ad esempio. Oppure un insospettato e insospettabile Al Qaida che inserito nella nostra società, regolare Permesso di Soggiorno e regolare Contratto di Lavoro, dice d'appartenere all'Islam moderato però fa la spola tra Roma e Bagdad).

Il nuovo elenco inizia dunque con l'americano che l'altra volta non feci in tempo a citare: il diciannovenne Marine Keith Matthew Maupin, freddato col colpo alla nuca il 28 giugno 2004. Prosegue con due bulgari: il camionista Gheorghi Lazov decapitato il 13 luglio e il suo collega Ivailo Kepov fucilato il 14 luglio. Continua con due pakistani: il tecnico Azad Hussein Khan sgozzato il 26 luglio e il suo autista Sajid Naeem freddato il medesimo giorno. Procede col camionista turco Murat Yuce sgozzato il 2 agosto e col suo collega Osman Alisan decapitato il 5 agosto. (I camionisti sono ostaggi facili perché si catturano improvvisando un falso posto di blocco). Va avanti col pubblicista italiano Enzo Baldoni, assassinato non si sa come e non si sa quando ma sembra il 26 agosto a botte e a revolverate mentre tentava di ribellarsi. Include i dodici nepalesi massacrati il 31 agosto perché erano andati in Iraq per guadagnare un dinaro pulendo i cessi altrui. I dodici figli del popolo (tutti buddisti) che nel video non chinano mai il capo. Non si disperano, non implorano, attendono l'esecuzione con orgogliosa serenità. E che le nostre televisioni hanno liquidato con qualche immagine frettolosa. I nostri giornali, senza curarsi di fornirne i nomi. Ma io li ho cercati. Li ho trovati, ed eccoli. Quello decapitato si chiamava Lalan Singh Koiri. Quelli trafitti dalle mitragliate mentre stavano bocconi per terra si chiamavano Budan Shah, Ramesh Khada, Mangal Limbu, Prakash Adhikari, Sanajana e Manoi Khumar Thakur (questi due, fratelli), Rajendra e Gyanendra Kumat Shresta (anche questi due, fratelli), Jhok e Jit e Mangal Bahadur Thapa (questi tre, cugini). Età, tra i ventidue e i ventinove anni.

Include anche i centocinquanta bambini e i centonovantanove adulti (per lo più maestri e maestre e genitori) che tra la mattina dell'1 settembre e l'alba del 3 settembre i «guerriglieri» ceceni guidati da Abdullah Shamil Abu Idris già Shamil Basayev sterminarono con l'aiuto di tre arabi e due donne nella scuola di Beslan. Quei bambini che per due giorni e due notti erano rimasti a fissar disperati gli ordigni esplosivi e i kalashnikov puntati contro di loro. Che al caldo feroce e alla fame e alla sete eran sopravvissuti bevendo la propria urina. Che quando scappavano scalzi e ignudi dalla palestra semicrollata sembravano uccellini volati via da un albero su cui è piombato uno stormo di avvoltoi. Infatti, mentre scappavano, gli avvoltoi con la barba gli sparavano addosso come se fossero stati a caccia di fringuelli. (Le ragazzine, invece, le avevano uccise in un cesso dopo averle violentate una ad una. Questi animali i cui imam cianciano con tanto fervore di etica e pudore e virtù). Include anche l'autista egiziano Nasser Juma, decapitato il 5 settembre quale presunta spia. Include anche i tre curdi decapitati il 19 settembre quali apostati e traditori. (Tre militi ignoti di cui si sa soltanto che appartenevano al Partito Democratico del Kurdistan. Però di loro i siti Internet offrono un filmato nel quale si vede il boia che gli lega le braccia, li stende bocconi per terra, gli sega lentissimamente la testa, e dopo avergliela segata gliela appoggia sopra la schiena. Ce la fissa col nastro adesivo).

Include anche i tre ingegneri occidentali di Bagdad, rapiti a casa loro mentre consumavano il breakfast: l'americano Eugene Armstrong decapitato il 20 settembre, l'americano Jack Hensley deca-

pitato il 21 settembre, l'inglese Kenneth Bigley decapitato il 7 ottobre. Quel povero Bigley che incatenato come un cane nonché chiuso dentro una gabbia per cani supplicava Blair di salvarlo e piangeva, piangeva. E che a un certo punto riuscì a scappare grazie a un carceriere corrotto a suon di dollari. Però lo ripresero nel giro di pochi minuti. Al carceriere corrotto tagliaron la gola e a lui la testa. Ennesima infamia alla quale bisogna aggiungere la poliziotta irachena Nadia Abdulwahhab Matlak fucilata il 27 settembre quale apostata e spia, l'ingegnere iracheno Bareh Daud Ibrahim decapitato il 2 ottobre perché impiegato in una ditta americana, il commerciante iracheno (ma residente in Italia e marito di un'italiana) Ajad Anwar Wali fucilato lo stesso giorno col suo autista turco Yalmaz Dabja. Bisogna aggiungere anche il suo concittadino Maher Kemal decapitato il 10 ottobre insieme al suo autista Luqman Hussein perché lavorava pure lui alle dipendenze degli americani. E poi le quarantanove reclute assassinate il 20 ottobre, una ad una, col colpo alla nuca. Strage impinguata pochi giorni dopo da altre trentasette assassinate nel medesimo modo nonché da ventidue poliziotti, uno decapitato, uccisi quasi contemporaneamente a raffiche di mitra. (Ma delle reclute morte così s'è perso ormai il conto. Dei poliziotti, pure. Dopo quei due primi episodi il rito s'è ripetuto e si ripete con raggelante quotidianità, sicché a tutt'oggi si calcola che siano centinaia). E poi a quest'elenco bisogna aggiungere la giornalista Liqaa Abdul Razzaq eliminata a revolverate come spia. Bisogna aggiungere i trentaquattro bambini di Bagdad massacrati con le autobombe mentre stavano in fila per prendere l'acqua e le caramelle dei Marines. Bisogna aggiungere il giovane turista giapponese Shosei Koda, decapitato il 31 ottobre perché aveva avuto la pessima idea di andare in Iraq per vedere-coi-propri-occhi-quel-che-vi-succedeva. Bisogna aggiungere le due giovanissime sorelle piemontesi Jessica e Sabrina Rinaudo, dall'esplosivo islamico disintegrate a Taba in Egitto insieme ad altri ventinove turisti (quasi tutti israeliani) che come loro erano andati a farsi la vacanzina sul Mar Rosso.

Lo dedico anche a loro questo libro, sì. Inoltre lo dedico al regista olandese Theo van Gogh: lo scorso 2 novembre assassinato ad Amsterdam da un marocchino super-integrato nonché con doppia cittadinanza. (Ma di lui parlerò più a lungo alla fine). Lo dedico a Margaret Hassan, la cinquantanovenne che in Iraq dirigeva l'organizzazione umanitaria «Care International», che agli iracheni aveva dedicato trent'anni della sua vita, che i macellai di Allah sequestrarono il 19 ottobre a Bagdad dove viveva col marito iracheno, e che a metà novembre uccisero sembra col colpo alla nuca. Dico «sembra» perché Al Jazeera non ha voluto mandare in onda il video della sua esecuzione, e perché alcuni temono che fosse suo il corpo della donna bionda trovato dai Marines a Falluja. Un corpo senza braccia e senza gambe (accuratamente mozzate), col volto reso irriconoscibile da un feroce pestaggio, e la solita pallottola dentro la nuca. Ma se non era il suo, quel povero corpo, alla donna bionda di cui non conosceremo mai il nome, lo dedico lo stesso. Lo dedico anche ai milleduecentoventisei soldati americani che sono morti dalla presunta «fine della guerra» a tutt'oggi, fine novembre 2004, e che ogni giorno muoiono in Iraq ma nessuno li piange perché dei morti americani non importa nulla a nessuno. Anzi a saperli morti non pochi godono come godono i sadici che a Bagdad si divertono a guardare i video commercializzati dai tagliatori di teste. Lo dedico anche alle decine e decine di ostaggi da mesi e mesi scomparsi nel nulla, in attesa d'essere uccisi o uccisi senza che Al Jazeera e i siti Internet si degnino di raccontarcelo. E quell'elenco include i due giornalisti francesi che grazie ai molti negoziati condotti dal loro governo sembravano sulla via per tornare a casa. Invece non lo erano affatto e non si sa più dove sono. Ma qui mi fermo perché il libro sta per andare in stampa.

Ciò che segue è una precisa messa a punto professionale e morale.

VIII

* * *

Come sanno i molti che hanno letto la precedente edizione, questa intervista a me stessa non vuole esaudire frivole curiosità sulla mia vita e sulla mia persona. Quando indugia su qualcosa di personale, ad esempio il dramma della mia malattia, è soltanto per aprire o rinforzare un discorso. Anzi il discorso sul cancro morale dell'Occidente e sull'ottusa ferocia dell'Islam che dichiarandoci guerra ha acceso il nuovo Incendio di Troia. Il discorso che incominciai con «La Rabbia e l'Orgoglio», poi sviluppai con «La Forza della Ragione», che ora in certo modo concludo attraverso «Oriana Fallaci intervista sé stessa». (Ho modificato anzi abbreviato il titolo «Oriana Fallaci intervista Oriana Fallaci» per motivi grafici e per alleviare il fastidio che provavo a vedere il nome ripetuto). Ancor più di quei libri, dunque, esso è riveduto e corretto e ampliato. Ancor più di quei due contiene aggiunte e note e postille e lunghi inserti. Contiene anche un Post-Scriptum che allunga d'oltre un terzo il testo originale. Quasi un quarto libro al quale ho dato il titolo «L'Apocalisse».

Gliel'ho dato perché, sempre nella forma dell'auto-intervista cioè sempre con l'accorgimento letterario dell'auto-intervista, quel Post-Scriptum prende l'avvio da un passaggio dell'Apocalisse. La tremenda Apocalisse che l'evangelista Giovanni scrisse nel *Primo Secolo dopo Cristo*, quindi durante il regno di Domiziano: l'imperatore che in piena ascesa del cristianesimo voleva essere adorato come un dio. Ad alcuni apparirà bizzarro che un'atea come me (sia pure atea cristiana) si ispiri a un testo religioso per tirar le somme della battaglia che da tre anni conduce. Ma l'Apocalisse profetizza la lotta che i cristiani avrebbero dovuto sostenere per vincere il Mostro a Sette Teste e i suoi complici che in definitiva sono un singolo complice. La Bestia con le corna uguali alle corna d'un agnello e la voce uguale alla voce d'un drago. Bè, il cosiddetto scontro-di-civiltà ossia lo scontro fra l'Occidente e l'Islam non è che la lotta di cui parla l'evangelista Giovanni. E pazienza se Giovanni trasporta la realtà terrena in un mondo celeste, qui la esprime attraverso metafore e allegorie ed enigmi, nella mia piccola Apocalisse invece quella realtà io la tengo coi piedi ben piantati in terra. Niente indovinelli, niente sciarade, niente sottintesi. Al loro posto, fatti molto precisi. Eventi molto chiari. L'esplicito ritratto d'un mondo che in sostanza vede attuarsi una profezia di duemila anni fa.

So che i complici del Mostro non lo gradiranno. So che le loro corna uguali alle corna d'un agnello e le loro voci uguali alle voci d'un drago saranno usate contro di me col consueto livore e la consueta bassezza. (Loro hanno prestigiosi o ex-pre-

stigiosi giornali, al proprio servizio. Hanno non-prestigiose o ex-prestigiose televisioni, olio di rici-no, siti, e un apparato politico che non perdona. Io ho soltanto i miei libri). So che il Mostro gradirà ancor meno il mio legittimo plagio. So che la mia piccola «Apocalisse» moltiplicherà le sue solite minacce. «Nous allons vous trouver», «We shall get you», «Te la faremo pagare». So che magari tenterà di passare al sodo. Theo van Gogh insegna. (Nel cortometraggio per cui l'hanno così barbaramente ucciso, il cortometraggio sulle donne mussulmane, diceva esattamente quel che dico io). Ma questo non mi spaventa, non mi scoraggia. La guerra che meritava gliel'ho già fatta. Non si potrebbe cancellare neanche bruciando tutti i miei libri su una piazza del 1938 a Berlino. E qualunque sia il prezzo da pagare, io continuerò a combattere.

Oriana Fallaci

novembre 2004

A mia sorella, Paola Fallaci

«Questo so bene: né per ripulse, né per favori, né per lodi, né per biasimi io mi rimuoverò mai dal mio proponimento».

(*Da una lettera di* **Ugo Foscolo**)

ORIANA FALLACI. *La vedo molto stanca. Molto consunta, molto dimagrita. Come sta?*

ORIANA FALLACI. Male, grazie. Però non se ne preoccupi. La testa resiste benissimo. Nel mio caso il motto «Mens sana in corpore sano» va sostituito col motto «Mens sana in corpore infirmo». Perché ragiono, scrivo, combatto come prima e più di prima. È come se la mia mente fosse del tutto estranea al mio corpo. O come se col male del corpo la mente si rinforzasse. Un fenomeno interessante. I medici dovrebbero studiarlo, scoprire se tra il sistema neurologico e la malattia v'è una sorta di rivalità, infine chiedersi: può il cervello controllare, tenere a bada, un mucchio di cellule impazzite? Può la mente opporsi alla morte, ostacolarla, ritardarla? Io penso di sì. Non a caso sostengo che l'anima è una formula chimica. Bè, forse quella formula contiene gli anticorpi che rifiutando di lasciarsi soggiogare dalle cellule impazzite mi forniscono, per ora, una specie di immunità.

Me ne rallegro e chiarisco subito un punto. Questa intervista non avrà nulla in comune con quelle che facevamo ai potenti della Terra. Tantomeno seguirà la traccia de «Il compagno segreto»: il racconto dove, attraverso l'alter-ego che si nasconde sulla sua nave, Joseph Conrad fruga nella propria coscienza e cerca di capire sé stesso. Il mio ruolo, stavolta, sarà semplicemente quello di porle brevi domande, spronarla a parlare. D'accordo?

D'accordo, ma di punti io devo chiarirne altri due o tre. Primo: detesto le interviste. Le ho sempre detestate, incominciando da quelle che facevamo ai cosiddetti potenti-della-Terra. Per esser buona un'intervista deve infilarsi, affondarsi, nel cuore dell'intervistato. E questo mi ha sempre incusso disagio. In questo ho sempre visto un atto di violenza, di crudeltà. Secondo: in maniera particolare ho sempre detestato quelle che i giornalisti facevano a me, non di rado manipolando le mie parole, alterandole fino a rovesciarne il significato, aggiungendo al testo scritto domande che non avevano avuto il coraggio di porre e quindi risposte che non avevo mai dato, poi riparandosi dietro il sacro e profanato principio della Libertà di

Stampa. Infatti a un certo punto dissi basta, non mi beccate più. Smisi di farmi intervistare, e perfino quando uscì *La Rabbia e l'Orgoglio*, perfino quando uscì *La Forza della Ragione*, mi guardai bene dal mostrarmi e dall'aprir bocca. Sa, i miei rapporti col giornalismo sono sempre stati difficili. Oserei dire dolorosi. Ai miei occhi il giornalismo non ha quasi mai corrisposto all'idea platonica che ho di tale mestiere. E sebbene a lui abbia dedicato la maggior parte della mia esistenza, sebbene a lui debba il privilegio d'aver vissuto come un tarlo dentro la Storia della mia epoca, io mi sento più a mio agio nella solitudine della letteratura. Non a caso i miei anni più felici li ho vissuti non quando giravo il mondo e scrivevo per i giornali ma quando stavo sola con me stessa e scrivevo i miei romanzi. Ad esempio, o soprattutto, quello che l'Undici Settembre dovetti interrompere.

Allora perché ha accettato di vedermi?

Perché ho la morte addosso. La Medicina ha sentenziato: «Signora, Lei non può guarire. Non guarirà». Stando a quel verdetto, e nonostante gli anticorpi del cervello, non ho molto tempo da vivere. Però ho ancora tante cose da dire, e un'intervista m'è parsa il mezzo più sbrigativo per dirne almeno alcune.

Il terzo punto qual è?

Questo. La proposta di far intervistare la Fallaci dalla Fallaci mi insegue da decenni. Cento volte me la son sentita rivolgere, cento volte. In ogni lingua, in ogni paese. E l'ho sempre respinta con un secco no-grazie. Io non ho compagni segreti che si nascondono a bordo della mia nave. Non ho bisogno di frugare dentro la mia coscienza attraverso di loro. La mia coscienza traspare in modo lampante da ciò che scrivo, ossia dalle idee che esprimo senza ipocrisia. Non mi piace, insomma, indulgere ad autoritratti. Non mi piace nemmeno offrire il mio volto ai fotografi, ai cameramen, alla curiosità della gente. Mi dolgo d'averlo fatto in passato, talvolta, e ogni volta che rivedo quelle dannate fotografie sbuffo. Anche quando stanno sulla controcopertina d'un libro. Ho ormai raggiunto quella che chiamo l'Età d'Oro della Vita, cioè quel che il vocabolario chiama vecchiaia. Conduco una vita molto ritirata, molto severa cioè molto spartana, e sono molto gelosa della mia privacy. Scrivendo, è vero, mi servo di riferimenti personali. Di esperienze che mi appartengono, di episodi che mi riguardano. E questa intervista è incominciata con la rivelazione brutale della malattia che oggi condiziona la mia esistenza. Ma a parte il fatto che la mia malattia non la nascondo mai, poi le dirò perché, ne ho parlato per introdurre l'argomento che mi preme. E questo argomento non è la Fallaci: è l'Italia. L'Occidente, l'Europa, l'Italia più ammalata di me. Faremo un'intervista politica, amica mia. Lo sa?

Lo so, anche se qua e là cercherò di non rispettare al mille per cento il patto. Mettiamoci al lavoro, dunque. Continuando a darci del Lei o passando al tu?

Continuando a darci del Lei, per carità. Non amo indulgere a mode giacobine. E poi Lei appartiene al mio passato. Io appartengo al mio presente. Mischiandosi ad esso subirebbe traumi per cui non è preparata. Da dove incominciamo?

Incominciamo dalla ottocentomillesima copia o meglio dalla ennesima edizione del suo libro «La Forza della Ragione» che porta una nuova e lunga dedica. Indirizzata non solo ai morti di Madrid, stavolta, ma ai morti italiani, americani, inglesi, canadesi, danesi, francesi, polacchi, tedeschi, bulgari, giapponesi, russi, coreani, iracheni, insomma a tutte le vittime del terrorismo islamico. Nonché a chi, in buona fede, quelle vittime non le piange quanto dovrebbe. Bè: è una dedica feroce, direi. Impietosa e feroce.

No. È giusta e necessaria. Perché sono successe cose nefande in questi quattro mesi cioè dal giorno in cui uscì *La Forza della Ragione*. Massacri quotidiani, rapimenti, esecuzioni... Mutilazioni e decapitazioni incluse. Cose nefande eppure accolte, assai spesso, con indifferenza o con le consuete menzogne di coloro che parlano di «resistenza irachena». La dedica ai morti di Madrid, dunque, non mi bastava più. E mi dispiace soltanto di non essere stata sufficientemente dura, d'aver mitigato il mio sdegno con la riflessione. Sono troppi quelli che tacciono. Che la pensano come me ma hanno paura di dire ciò che dico io. Che per convenienza o viltà fanno i furbi, fingono di non vedere ciò che vedono come me. Sicché il loro silenzio è lo stesso silenzio, la loro paura è la stessa paura, la loro furbizia è la stessa furbizia con cui negli anni Venti poi negli anni Trenta del Novecento i loro nonni accolsero il fascismo e il nazionalsocialismo e il bolscevismo. M'è scoppiata come uno starnuto, quella nuova dedica. E il fatto che certa gente la giudichi impietosa, feroce, non mi preoccupa. Alle incomprensioni, ai processi, agli autodafé, «Brucia-l'eretica-bruciala», ci sono abituata. Basta che apra bocca perché mi aggrediscano con gli articoloni, i titoloni, addirittura i Comunicati di Redazione. Anche se esprimo un faceto commento sullo sputo d'un calciatore. È una moda, ormai.

Ma io continuerò a parlare finché avrò fiato. L'importante è che a leggermi qualcuno finisca col ragionare e col trovare il coraggio che ora non ha. Il coraggio di piangere insieme a me e ribellarsi.

Piangere? Ne «La Rabbia e l'Orgoglio» Lei ha scritto che non è capace di piangere dacché era bambina...

No. Ho scritto che da allora non piango con le lacrime, che non piango bagnato, ma che senza lacrime piango più di quelli che piangono infradiciandosi il viso e la camicia. È diverso. Cristo! Senza lacrime in questi ultimi mesi ho pianto fino a restare disidratata. Ho pianto quando le bestie che i furbi chiamano «guerriglieri» o «resistenti iracheni» hanno scannato il pacifista Nick Berg. Che mentre Nick Berg urlava come un bove al mattatoio gli hanno tagliato la testa con un coltello da macellazione halal, gliel'hanno strappata assieme al midollo spinale poi con un video ce l'hanno mostrata tutti contenti. Ho pianto quando hanno fatto lo stesso con l'ingegnere americano Paul Johnson poi l'hanno fotografato con la testa mozza e posata sullo stomaco. Ho pianto quando hanno ripetuto l'infamia col sudcoreano Kim Sun che implorava di non essere ucciso. Ho pianto come piansi quando decapitarono Daniel Pearl, il collega dello *Wall Street Journal*. Ho pian-

15

to come ho pianto quando hanno assassinato Fabrizio Quattrocchi morto dicendo «Ora ti faccio vedere come muore un italiano». Ho pianto anche quando le nostre pavide autorità gli hanno negato i funerali di Stato e perfino la camera ardente che in Campidoglio concedono ai defunti attori comici. E quando nemmeno i familiari dei tre ostaggi catturati con lui sono andati a rendergli omaggio nella cappella che le Clarisse di Genova avevan prestato per la veglia funebre. I politici della presunta Sinistra lo stesso, visto che non si trattava d'un uomo di Sinistra. Sicché i funerali sono caduti nelle mani dei mammasantissima dell'altra sponda. Quelli col tatuaggio di Mussolini sul collo. E poi ho pianto quando le medesime bestie hanno decapitato Gheorghi Lazov, l'ostaggio bulgaro il cui corpo senza testa è stato ritrovato nel Tigri, ma nessuno ha battuto ciglio. Quasi che a certe cose ci avessero fatto l'abitudine. E poi ho pianto quando a Yunes Mohammed Alì, l'ostaggio iracheno che gestiva una lavanderia nella base americana di Mosul, hanno amputato le mani e tolto un occhio, sebbene si fossero messi in tasca un riscatto di ventimila dollari. Ho pianto come piango ogni volta che i figli di Allah sgozzano le loro vittime o commettono massacri nei quali muoiono i loro stessi bambini e i loro stessi fratelli. E come avrei voluto piangere quando coloro che chiamo collaborazionisti, cioè traditori, volevano impedire la nostra Festa della Repubblica. O come avrei voluto piangere quando i cosiddetti Disobbedienti dell'estrema Sinistra hanno berciato o scritto sui muri di Roma «Dieci, cento, mille Nassiriya». Razza di delinquenti.

Per questo tiene quella grossa bandiera tricolore alla finestra?

Anche per questo. Ce la misi la notte in cui seppi che Fabrizio Quattrocchi era stato ucciso. Dio che notte. Faceva un freddo invernale, qui in Toscana. Pioveva a dirotto, lampeggiava, il vento ti portava via, ed io ero più malata di sempre. Avevo un dolore tremendo ai polmoni e alla trachea e all'esofago, dove l'Alieno s'è fatto il nido. Così non potevo neppure scendere dal letto. Potevo stringere i denti e basta. Però appena seppi che Quattrocchi era stato ucciso, mi alzai. Presi il tricolore che tenevo nel cassettone, mi trascinai alla finestra e bagnandomi tutta, prendendomi schiaffi di vento, lo fissai alla griglia del balcone con gli spilli da balia. La mattina dopo chiamai tre amici operai, operai dell'Enel, e: «Ragazzi, bisogna che mi aiutiate a installare bene un tricolore che ho fissato con gli spilli da balia perché l'asta non ce l'ho». Vennero subito. «S'arriva di corsa, Falla-

17

ci!». Uno portò addirittura l'asta. Di nascosto alla moglie l'aveva tolta dalla camera da letto dove reggeva le tende, e ogni poco ripeteva: «Quando la se n'accorge, quella la mi divorzia!». Io stavo peggio della notte prima. Il dolore era aumentato e mentre fissavano l'asta, ci inchiodavano la bandiera, non li osservai. Ma a lavoro concluso andai a vedere e mi commossi. Guardi: non è una bellezza? Se qualcuno me la tocca, gli sparo nel culo col fucile da caccia. Eh! Sebbene la mia Italia sia un'Italia ideale, un'Italia che non esiste, che forse è esistita soltanto nel Risorgimento, guai se il mio orgoglio patriottico viene ferito.

Però alla base di quel tricolore vedo anche due bandierine americane.

Sissignori. Due bandierine di carta impermeabile, venti centimetri per quindici, che insieme a due bandierine italiane comprai a New York quando D'Alema venne in America per incontrare tutto emozionato Bill Clinton. Le bandierine americane le ho messe due mesi dopo, cioè il giorno in cui si seppe che i militari della Delta Force avevano liberato i tre ostaggi italiani e il polacco. Le ho messe e continuo a tenerle per ringraziarli come vuole la buona educazione. Fuorché Cupertino, pubblicamente non l'ha fatto nessuno. Nemmeno Berlusconi. Nemmeno il presidente della Repubblica. Entrambi ci hanno raccontato che il merito andava ai Servizi Segreti italiani, cosa di cui dubito fortissimamente, e a proposito dell'irruzione nel covo non hanno mai parlato di americani. Hanno sempre parlato di «Forze della Coalizione», così inducendoci a credere che tali Forze fossero composte da militari di varie nazionalità. Quindi anche da italiani e da polacchi. Non a caso prima di mettere le due bandierine americane cercai una bandiera polacca, e non la aggiunsi al tricolore solo perché non la trovai. Peggio: scendendo dall'aereo che li aveva riportati in patria, nessuno dei tre ostaggi liberati ringraziò gli americani. Ringraziarono tutti. Anche i giornalisti. Chissà perché. Ma gli americani, no. Quasi avessero ricevuto un ordine preciso, come il presidente del Consiglio e il presidente della Repubblica parlarono solo di Forze della Coalizione. Peggio ancora: riferendosi alle parole pronunciate dai Delta Force al momento dell'irruzione, nei giorni seguenti ci raccontarono che prima di tagliar le catene i liberatori avevano detto: «Don't worry, we are friends. Non allarmatevi, siamo amici». Non ci credo. I Delta Force non si presentano dicendo «We are friends, siamo amici». Si presentano dicendo: «We are Americans, siamo americani». È il regolamento. Peggio ancora ed ancora: se il *Corriere della Sera* non avesse pubblicato la fotografia in cui si vedono i Delta Force che con le tenaglie spaccano le manette, oggi si dubiterebbe che i nostri ostaggi e il polacco siano stati liberati da loro. Si crederebbe ai parolai che attribuendosi il merito del rilascio si comportano come se dagli «imperialisti-americani» fossero stati scippati. E questo mi disgusta al punto che quelle due bandierine ce le terrò per sempre. Ora posso tornare al mio discorso sul piangere?

Un momento. Prima ho una domanda sull'Alieno che, uso le sue parole, s'è fatto il nido nei polmoni e nella trachea e nell'esofago. So che per Alieno intende il cancro, e sebbene mi dispiaccia indurla ad approfondire quel tema...

No, no, di lui parlo sempre. Apertamente. Con tutti. Ne parlo anche per rompere il tabù di cui divenni consapevole quando lui mi aggredì la prima volta, e il chirurgo che mi aveva operato disse: «Le dò un consiglio. Non ne parli con nessuno». Rimasi allibita. E così offesa che non ebbi la forza di replicare: «Che cosa va farneticando?!? Avere il cancro non è mica una colpa, non è mica una vergogna! Non è nemmeno un imbarazzo, visto che si tratta d'una malattia non contagiosa». E per settimane continuai a rimuginare su quelle parole che non comprendevo. Poi le compresi. Perché se dicevo d'avere il cancro molti mi guardavano come se avessi la peste descritta da Manzoni ne *I promessi sposi*. O come se fossi già sottoterra. Impauriti, disturbati. Quasi ostili. Alcuni mi toglievano addirittura il saluto. Voglio dire: sparivano, e se li cercavo non si facevan trovare. Infatti fu allora che coniai il termine Alieno. Oggi non accade più, ne convengo. Però stia attenta: di rado lo chiamano col suo vero nome. I giornali ad esempio dicono «malattia inguaribile». Gianni-e-Umberto-Agnelli-sono-morti-d'una-malattia-inguaribile. Jacqueline-Kennedy-morì-d'una-malattia-inguaribile. Questo perpetua il tabù, e quasi ciò non bastasse alimenta una menzogna. Perdio, non è vero che dal cancro non si guarisce! Spesso si guarisce. E se non si guarisce, si dura. Col mio sono durata circa undici anni. E grazie agli anticorpi che tengo nel cervello potrei durare un poco di più. Ora posso riprenderlo il discorso sulla gente che non piange e non si ribella?

Un altro momento, la prego. Poco fa mi ha risposto che ne parla «anche» per rompere il tabù. Ciò mi autorizza a pensare che vi sia un secondo motivo. Qual è?

Convincere chi ce l'ha a non fare quel che ho fatto io. È colpa mia se dopo undici anni lui s'è risvegliato. Colpa mia. Tutta mia. Con l'Undici Settembre smisi di curarmi. Di frequentare gli oncologi, di farmi gli esami. Infatti il direttore del Boston Hospital, allora l'ospedale che mi teneva d'occhio, mi mandò una letteraccia in cui diceva: «Ms Fallaci, you are putting in jeopardy the reputation of my equipe. Lei sta mettendo a rischio la reputazione della mia équipe». Ma non avevo il tempo di andare a Boston. Prima l'articolone, *La Rabbia e l'Orgoglio*, e il fracasso che ne seguì. Poi il libro omonimo e il fracasso che si raddoppiò. Poi le traduzioni... Dopo averlo pubblicato in Italia mi misi a tradurlo in inglese e in francese nonché a controllare, parola per parola, la versione spagnola. Non mi fido mai dei traduttori, tra me e loro v'è un'ostilità sanguinosa, e nelle lingue che conosco preferisco tradurmi da sola. Poi i processi in Francia, le accuse di razzismo religioso, di istigazione all'odio, di xenofobia. Poi le stronzate dei no-global che volevano entrare nel Centro Storico di Firenze e sfregiare i monumenti, sicché venni in Italia per tentar d'impedirglielo. Poi la guerra in Iraq dove stavo per andare e non andai perché non si può salire sui carri armati o correre sotto le mitragliate con un corpo che non ti obbedisce. Per oltre due anni queste cose requisirono ogni istante della mia vita, e m'indussero a dimenticare l'Alieno che dormiva. Dio, che sciocchezza. Che suicidio. Comunque il vero suicidio l'ho commesso a evitare i medici per scrivere *La Forza della Ragione*. Non a caso mia sorella Paola odia quel libro in maniera maniacale e quando ne vede una copia sibila: «Maledetto. Sei tu il responsabile».

Si spieghi meglio.

Bè, io non mi proponevo di scrivere un altro libro su noi e l'Islam. L'assillo del mio-bambino insomma del romanzo interrotto mi tormentava, l'ansia di toglierlo dal cassetto mi bruciava, sicché su di noi e sull'Islam volevo fare soltanto un Post-Scriptum a *La Rabbia e l'Orgoglio*. Ma la tentazione di rinsanguare quella predica prevalse, il bisogno d'arricchirla con un discorso più approfondito divenne la consapevolezza d'un dovere. Mi fiorì tra le mani *La Forza della Ragione*, e quando scrivo un libro io mi comporto come una donna incinta che pensa al feto nel suo ventre e basta. Non conta che lui. M'accorsi, sì, che l'Alieno s'era svegliato. Scrivevo e tossivo, scrivevo e tossivo. Una tossaccia secca, cattiva, e simile a quella che in pochi mesi s'era portata via mio padre con un cancro ai polmoni. Ma anziché correre a Boston o cercarmi un medico a New York continuai a lavorare. Se ci vado e mi conferma che s'è svegliato, conclusi, mi opera. Se mi opera, interrompo la gravidanza. Abortisco. Mi trovai insomma nelle condizioni d'una donna che deve scegliere tra la propria vita e quella del figlio. E scelsi la vita del figlio. Con ottimismo, però. Proprio come facevo alla guerra, per esempio in Vietnam, quando sceglievo di seguire le truppe in combattimento e sapevo che potevo morirci ma con una sorta di scommessa puntavo sul non-morire. Mi dicevo: ce-l'ho-fatta-la-volta-scorsa-e-ce-la-farò-di-nuovo. Bè, ho perso la scommessa. Quando a marzo sono venuta in Italia per dare il Visto-si-Stampi a *La Forza della Ragione*, il chirurgo di Milano ha detto: «Troppo tardi per operare». E mi ha passato all'oncologo che amministra le chemio. Roba che nel mio caso non serve. Ma ora mi lasci riprendere quel discorso. Ci tengo perché il mio piangere senza lacrime riguarda un altro cancro. Un cancro ben più tragico, ben più irrimediabile, del mio. Un cancro per il quale non esistono chirurgie, chemioterapie, radioterapie. Il cancro del nuovo nazifascismo, del nuovo bolscevismo, del collaborazionismo nutrito dal falso pacifismo, dal falso buonismo, dall'ignoranza, dall'indifferenza, dall'inerzia di chi non ragiona o ha paura. Il cancro dell'Occidente, dell'Europa, e in particolare dell'Italia. Il cancro per il quale soffro assai più di quanto soffra per il mio. Ne soffro a tal punto che vi sono momenti in cui non capisco se il mio tormento venga dai dolori del corpo o dai dolori dell'anima. Di questo mi resi conto durante un'altra notte di tregenda. Un sabba pieno di diavoli, di streghe, di fantasmi che ballavano orgiasticamente dentro la pioggia e ballando mi pugnalavano al cuore. Mi ridevano in faccia, si facevano beffe di me. Insomma la notte in cui scoprii le nequizie di Abu Graib.

Proprio un punto a cui volevo arrivare.

Ne son certa. E questo non mi piace. Perché i giornali e le televisioni ci hanno vissuto di rendita, su Abu Graib. Non passava giorno senza che ci inzuppassero il pane. E per inzupparcelo meglio minimizzavano le nequizie che avvenivano sull'altra sponda. Cosa a proposito della quale devo dire che su certe faccende non accetto lezioni di civiltà da nessuno. Io le ho impartite tutta la mia vita, quelle lezioni. Attraverso i miei libri, le mie corrispondenze di guerra, il mio comportamento quotidiano. Sono stata educata bene, io, non come gli ipocriti che fanno i moralisti da una parte e basta. Avevo quattordici-quindici anni quando in via Ponte alle Mosse, a Firenze, vidi mia madre picchiare una mascalzona che maltrattava i prigionieri tedeschi. Prigionieri incatenati e ammassati su un camion aperto. Il camion s'era fermato accanto al marciapiede e la mascalzona, peraltro moglie d'un ex-federale fascista (cosa che la dice lunga sugli italiani voltagabbana), s'era messa a colpirli con schiaffi e con pugni. Bè, non so immaginare una donna che a quel tempo odiasse i tedeschi più di mia madre. Nella Resistenza, fino al giorno prima, c'era stata anche lei: ricorda? Non so immaginare nemmeno una signora più garbata, quindi meno manesca, di mia madre. Eppure appena s'accorse che nessuno reagiva allo scempio si gettò su quella donna come un gatto infuriato. La agguantò per il collo e prese a picchiarla selvaggiamente. In faccia, sulla testa, sullo stomaco. E picchiandola ruggiva: «Miserabile, iena, vigliacca! Non si tocca un uomo in catene! Un uomo in catene è sacro anche se è un sudicione come te!». Non l'ho mai dimenticato. Mai. Infatti la notte in cui le streghe e i diavoli e i fantasmi ballavano orgiasticamente dentro la pioggia, si beffavano di me, soffrii quanto avevo sofferto per l'assassinio di Quattrocchi, e di quei militari americani pensai cose che i professionisti dell'antiamericanismo non si sognan nemmeno. Del signor Rumsfeld che certo sapeva, lo stesso. Mi sentii tradita, offesa, ingannata. Mi sentii come una moglie che ha sorpreso il marito a letto con un'altra donna, e volevo divorziare. Volevo lasciare la mia casa di New York e restituire a Rumsfeld la mia Permanent Resident Card. E se avessi incontrato la miserabile che vestita da soldatessa s'è fatta fotografare mentre teneva il prigioniero iracheno a guinzaglio, l'avrei picchiata come mia madre aveva picchiato la moglie dell'ex-federale fascista. L'avrei massacrata di botte.

Senza intervistarla, senza interrogarla sui perché?

Ovvio. E senza chiedermi se quel prigioniero fosse un criminale di Saddam Hussein. Se avesse gassato i curdi, torturato e ucciso i suoi compatrioti. Se fino alla vigilia del suo arresto si fosse divertito a mutilare i cadaveri dei Marines, a tagliargli le gambe e le braccia e i genitali per esibirli dinanzi alla marmaglia esultante. Senza dirmi, inoltre, che episodi uguali a quelli di Abu Graib sono sempre avvenuti. In ogni esercito, ogni società, ogni momento storico. Tanto per andar sul recente, pensi ai mussulmani che in Libano crucifiggevano i cristiani maroniti. Dopo avergli mozzato gli arti e cavato gli occhi, bada bene. Pensi alle allucinanti torture cui i nordvietnamiti sottoponevano nei campi di prigionia gli americani catturati. Pensi ai vietcong che facevano a pezzi i neonati dei Montagnard cattolici e poi li buttavano dentro la capanna del capovillaggio. Pensi agli Khmer Rouges che in Cambogia schiacciavano i poliziotti con le jeep. E che il nostro collega Sean Flynn, il figlio di Errol Flynn, lo ammazzarono così: lo legarono a un albero, vi-

27

vo lo aprirono dal collo all'inguine, gli tolsero il fegato, e... Anche senza il fegato, Sean ci mise tanto a morire. Storia, questa, di cui gli ipocriti che fanno i moralisti da una parte e basta hanno parlato ben poco o non hanno parlato affatto. Oh, sì: quella miserabile l'avrei massacrata di botte senza dirmi tutto questo. E senza rammentare a me stessa che dei nostri delitti noi ci vergogniamo. I figli di Allah, no. I nostri delitti noi li processiamo, li condanniamo. I figli di Allah, no.*

* *Nota dell'Autore*. Il 21 ottobre 2004 tre dei militari accusati di abusi fisici e sessuali nel carcere di Abu Graib furono processati dinanzi alla Corte Marziale degli Stati Uniti. Il trentottenne sergente Ivan "Chip" Frederick ossia quello accusato d'aver costretto un prigioniero a masturbarsi, un altro a stare in bilico su uno sgabello tenendo gli elettrodi agli arti e la testa incappucciata, ricevette la condanna più dura: otto anni di reclusione. Sebbene avesse ammesso il crimine e chiesto scusa, venne anche degradato e radiato dal Corpo dei Marines. Degli altri due, il soldato semplice Jeremy Sivitz, reo confesso, venne condannato a un anno. Il soldato scelto Armin Cruz, anch'egli reo confesso, a otto mesi. Anche la ventunenne soldatessa Lynndie England (quella dell'iracheno tenuto al guinzaglio, lasciata a piede libero perché incinta e poi puerpera) è stata deferita alla Corte Marziale e verrà processata il 17 gennaio 2005. Subito dopo, verranno processati altri quattro militari. Il procuratore militare Michael Holley li ha definiti «mele marce con tutta la capacità di intendere e volere, cioè di distinguere il Bene dal Male».

Ma poi, giorno dopo giorno, presi a riflettere sulle cose che ho detto prima. Cioè sulle mostruosità commesse dai mussulmani in Libano, dai vietcong e dai nordvietnamiti in Vietnam, dagli Khmer Rouges in Cambogia, e conclusi che, a qualsiasi razza o religione o credo politico appartengano, gli esseri umani sono capaci di tutto. La perfidia scorre nelle loro vene come il sangue, la crudeltà appartiene alla loro natura. Quindi a lasciare la mia casa di New York, a restituire la mia Permanent Resident Card non soltanto sarei stata ingiusta con gli americani che si sentivano ancor più traditi e offesi e ingannati di me: avrei portato acqua al mulino degli ipocriti che osano paragonare una testa mozza con una testa incappucciata, la fotografia dell'iracheno al guinzaglio col video di Nick Berg che in nome di Allah viene decapitato. Infatti son io che ora pongo due o tre domande. Perché gli editoriali sulla decapitazione di Nick Berg sono stati così cauti? Perché i quattro giornalisti che hanno pubblicato o trasmesso il fotogramma dove si vede la sua testa mozza e strappata sono stati denunciati da un loro collega alla magistratura e minacciati di sanzioni disciplinari? Perché alle decapitazioni degli ostaggi la stampa e la Tv non hanno dato il medesimo spazio, il medesimo rilievo, che hanno dato e danno alle nequizie di Abu Graib?

Non lo chieda a me. Io la penso come Lei e sono qui solo per spronarla a parlare, ricorda?

L'hanno dato a Nick Berg lo spazio, il rilievo. Perché era il primo, suppongo. A Paul Johnson e a Kim Sun, ne hanno dato assai meno. E a Gheorghi Lazov quasi punto. Cristo! Nessuno può negare che in Europa e soprattutto in Italia il Male venga presentato con due pesi e due misure. Nessuno può negare che pei nemici dell'Occidente i nostri media avanzino sempre qualche giustificazione. Nessuno può negare che le nequizie islamiche siano sempre accompagnate da qualche silenzio o da qualche *ma*, qualche *però*. E la risposta al mio interrogativo è proprio il cancro incurabile del nuovo nazifascismo, del nuovo bolscevismo, del nuovo collaborazionismo. Soprattutto il collaborazionismo di coloro che berciano o scrivono sui muri «Dieci-cento-mille-Nassiriya». Che sui siti Internet chiedono «Dieci Euro per la Resistenza Irachena». Che durante i loro cortei bruciano le automobili e spaccano le vetrine dei McDonald's. Che nei loro comizi definiscono Bush un criminale, un boia, un assassino da consegnare alla Corte dell'Aja. Il collaborazionismo, insomma, d'una Sinistra che le bandiere rosse le ha sostituite con le bandiere arcobaleno. E che le bandiere arcobaleno le sventola solo a favore dell'Islam. Il collaborazionismo, infine, di coloro che in buona fede gli si accodano. Oppure si tappano gli occhi, gli orecchi, la bocca, e tacciono per viltà.

Il termine buona-fede è importante. Del resto, lo ripeto volentieri, è anche alla gente in buona fede che Lei ha indirizzato la nuova dedica de «La Forza della Ragione».

Gliel'ho indirizzata nella speranza che ritrovino la ragione. Con la ragione, un po' di buonsenso e un po' di dignità. Perché la buona fede non basta a cancellare la colpa. La paura, nemmeno. Durante gli anni Trenta del Novecento, gli anni in cui il cancro del nazifascismo travolse l'Italia e la Germania, molti collaborarono in buona fede. Le folle oceaniche che imbottivano piazza Venezia ed Alexanderplatz non eran composte soltanto da fedelissimi, da picchiatori. Erano composte anche da ingenui o da scriteriati che credevan d'avere trovato la manna. O da pecore senza dignità: «Tengo-famiglia». Senza di loro, Hitler e Mussolini non ce l'avrebbero fatta. E va da sé che il contributo maggiore a quei due venne fornito dalle debolezze della democrazia, dalla cecità o dall'imbecillità degli uomini politici, dal cinismo dei governi europei. In Italia le Camicie Nere randellavano, gestivano la dittatura, e l'Europa zitta. In Germania le

Camicie Brune e le SS facevan lo stesso, e l'Europa zitta. A Roma Mussolini blaterava le sue sciocchezze e le sue minacce contro le democrazie-plutocratiche, e l'Europa zitta. A Berlino Hitler istituiva i Tribunali Speciali, emanava le leggi razziali, costruiva campi di concentramento ad Auschwitz e a Dachau, spingeva i suoi sogni di espansionismo alla Polonia, e l'Europa zitta. O condiscendente. Zitto anche il Vaticano, del resto. Zitto anche Pio XII, con le sue arie da monarca. Non per nulla in quegli anni la Chiesa Cattolica benedisse più gagliardetti di quante sigarette io abbia fumato nella mia vita. Si giunse così al 1938 cioè all'anno in cui Hitler si prese l'Austria e celebrò il Patto di Monaco. Anzi, quell'anno l'Europa fece qualcosa di peggio che stare zitta: l'Inghilterra gli mandò Chamberlain, la Francia gli mandò Daladier. Entrambi si calaron le brache, e... C'è nessuno che se ne ricorda?

Non sia ingiusta... Su questo tema la Fondazione Magna Carta ha addirittura tenuto, insieme al «Riformista», un convegno.

Sì e il presidente del Senato, Marcello Pera, ha detto che sull'Unione Europea aleggia anzi soffia lo Spirito di Monaco. Lo spirito del 1938, lo spirito della resa, lo spirito (aggiungo io) dell'autolesionismo e della viltà. Ha detto che soffia quando l'Europa marcia per la pace senza chiedersi quanto essa costi e chi debba pagarla. O quando l'Europa attacca l'America, abbandona Israele, e (aggiungo io) giustifica i kamikaze. O quando, al contrario dell'America, non si assume la responsabilità di difendere l'Occidente e (aggiungo io) lo consegna al nemico. O quando si indigna sia pur giustamente per le malefatte di alcuni Marines in Iraq e minimizza anzi dimentica le nefandezze di Saddam Hussein, e dei terroristi islamici. O quando crede anzi finge di credere che il Consiglio di Sicurezza dell'Onu sia una specie di planetario e democratico governo, l'Assemblea dell'Onu un planetario e democratico Parlamento, non un'istituzione ormai inadeguata. Il prodotto e il simbolo (aggiungo io) d'una bugia che non funziona. In quel convegno Pera ha detto anche quali sono i motivi o meglio alcuni dei motivi per cui tale spirito soffia. Ha detto che verso l'Islam l'Europa si attribuisce anzi si autoinfligge colpe che non ha. Colpe che crede di dover espiare subendo un terrorismo reattivo ossia nato da una storica rivalsa. Ha detto che nella pace in cui si crogiola da sessant'anni, peraltro una pace garantita dall'America, vede un diritto divino e naturale non una fortuna da salvaguardare se necessario con la forza. E grazie a ciò (aggiungo io) l'Eurabia ha costruito la panzana del pacifismo multiculturalista, ha sostituito il termine «migliore» col termine «diverso-differente», s'è messa a blaterare che non esistono civiltà migliori. Non esistono principii e valori migliori, esistono soltanto diversità e differenze di comportamento. Questo ha criminalizzato anzi criminalizza chi esprime giudizi, chi indica meriti e demeriti, chi distingue il Bene dal Male e chiama il Male col proprio nome. Infine ha detto ciò che da tre anni io ripeto invano. Che l'Europa vive nella paura e che il terrorismo islamico ha un obbiettivo molto preciso: distruggere l'Occidente ossia cancellare i nostri principii, i nostri valori, le nostre tradizioni, la nostra civiltà. Ma, come nel mio caso, il suo discorso è caduto nel vuoto.

Perché?

Perché nessuno o quasi nessuno l'ha raccolto. Perché anche per lui i vassalli della Destra stupida e della Sinistra bugiarda, gli intellettuali e i giornali e le Tv insomma i tiranni del Politically Correct, hanno messo in atto la Congiura del Silenzio. Hanno fatto di quel tema un tabù. E perché da trent'anni, cioè da quando la Cee ci vendette all'Islam e per darci il petrolio i paesi mussulmani ci imposero i loro emigrati, la Storia non si conosce più. O la si conosce falsata, mutilata, revisionata dai farabutti di cui a proposito del presunto Dialogo Euro-Arabo parlo ne *La Forza della Ragione*. Risultato, come non si sa più che cosa furono le nostre Crociate o l'espansionismo e il colonialismo ottomano o la ferocia dei giannizzeri, non si sa più che cosa fu il 1938. Che cosa fu il Patto di Monaco, che cosa s'intende per Spirito-di-Monaco.

Che s'intende?

Bè, s'intende la rinuncia ad affrontare e fermare un Hitler che ci distruggerà. S'intende la vile scelta di rispondere a quell'Hitler con la complicità o la sottomissione. S'intende la paura d'opporsi, difendersi, battersi. (Finché un Churchill ci sveglia per beccarsi l'accusa di guerrafondaio... Lo sa, no, che quando Churchill attaccò la Germania di Hitler col discorso «Step by Step» i laburisti gli dettero di guerrafondaio?). Ignorando tali verità i più non comprendono dove stia la similitudine tra ieri ed oggi. Tra il nazifascismo di ieri e il cosiddetto integralismo islamico cioè il nazi-islamismo di oggi. Mah! A volte mi chiedo se non sia il caso di invidiarli. Perché è quella similitudine che mi toglie il sonno. È quella similitudine che alimenta il mio dolore dell'anima. Il dolore che mi impedisce di capire se le sofferenze mi vengono dal corpo o dall'anima, dal mio Alieno o dal cancro di questa Eurabia di nuovo venduta dai Chamberlain e dai Daladier. Dagli arcobalenisti che col pacifismo sostengono il nemico, dai mascalzoni che col buonismo lo aiutano a imporci il Corano. E infuriata gridò: «Quanto olio di ricino dovremo farci ficcare in gola prima di realizzare che l'Eurabia ossia l'Unione Europea è l'Europa del 1938?!». Oh, sebbene fossi una bambina di appena nove anni, lo ricordo bene il 1938. Ricordo bene la sera di fine settembre in cui il babbo tornò a casa ansimando: «Quel mentecatto di Chamberlain e quel traditore di Daladier hanno venduto il Territorio dei Sudeti a Hitler!». E quando gli chiesi chi fossero i Sudeti rispose: «Un popolo che ora finisce come presto finiremo noi». Ricordo anche la sera di novembre in cui prese a parlare con la mamma d'una certa Notte dei Cristalli. Cosa che mi lasciò smarrita in quanto per me i cristalli erano i bicchieri buoni e non capivo perché, oltre a prendersi il Territorio dei Sudeti, i nazisti si fossero messi a rompere i bicchieri buoni. Ma poi il babbo mi spiegò che non s'erano messi a rompere i bicchieri buoni. S'eran messi a spaccare le vetrine dei negozi appartenenti agli ebrei, a picchiare gli ebrei, a bruciargli i libri, ad arrestarli. Sicché mi sentii piegare le gambe. Elena Rubicek, la mia maestra di scuola, era ebrea. E se avessero arrestato anche lei? Bè, sarebbe stata arrestata davvero. Nel 1944, dai repubblichini. Insieme alla madre ottantenne. Ed entrambe sarebbero finite a Dachau. In un forno crematorio.

*Ricorda anche la visita di Hitler a Firenze? Pure
quella avvenne nel 1938.*

Se la ricordo! Era maggio, faceva un caldo da Fer-
ragosto, e la zia Febe m'aveva portato in centro a
mangiare il gelato. Di lì, in piazza Santissima Annunziata. Una delle piazze da cui doveva passare il
corteo. D'un tratto nel sole accecante si profilò
un'automobile nera con due individui in piedi.
Quello grosso sembrava una maschera di Carnevale. Sulla testa portava un grande elmo sovrastato
da piume bianche, e sullo stomaco tante medaglie.
Era Mussolini. L'altro era un omino con strani baffetti neri. E, al contrario di Mussolini che sotto le
piume ostentava un broncio quasi cagnesco, sorri-
deva con molta benevolenza. Questo mi consolò
molto, specialmente per Elena Rubicek la mia
maestra di scuola, e tornando a casa strillai tutta
contenta: «Mamma! Ho visto Hitler! Ha un'aria
proprio gentile!». Ma la mamma mi fulminò con
un'occhiata e puntando il mestolo disse: «Cretina,
idiota. Io con la zia Febe non ti ci mando più!».
Mi colpì anche il fatto che in piazza Santissima
Annunziata ci fossero tante persone che applaudivano ebbre di gioia. «Duce, Duce! Führer, Führer!». Del resto l'intera città partecipò con letizia
ai festeggiamenti. L'aristocrazia fiorentina invitò a
cena l'omino con gli strani baffetti neri, dopocena

le marchese e le contesse e le baronesse spolveraro-
no i loro gioielli, corsero al Teatro Comunale dove
si dava un concerto in suo onore, e dinanzi a lui si
inchinarono come serve. Gli fecero la reverenza.
«Mein Führer, mein Führer». Eh! Buon sangue
non mente. Erano le nonne o le bisnonne delle
marchese e delle contesse e delle baronesse che oggi sventolano la bandiera arcobaleno, fanno le an-
tiamericane, votano almeno Ds perché votare per
la Sinistra fa chic, e frequentano il Tepidarium. Ele-
gantissima serra ottocentesca dove i comunisti miliardari danno i ricevimenti nuziali. Tempo fa ce n'è
stato uno dove invece delle bomboniere coi confet-
ti distribuivano le iscrizioni ad Emergency, l'associazione che si ritiene scippata dai Delta Force.

Loro stanno anche a Destra, però.

Macché Destra. Per tenersi a galla, oggi bisogna
stare a Sinistra. E non solo perché merita economi-
camente e politicamente, perché ti assicura l'im-
piego e ti garantisce il potere, ma perché è di moda. Sissignori, è una moda ormai stare a Sinistra.
Una moda come portare le gonne lunghe o le gonne corte, andare a Cortina oppure no. È un conformismo, una convenzione. Soprattutto per i banchieri e i magnati e i presunti intellettuali che frequentano posti come il Tepidarium. Per i giornali-

sti e le giornaliste e i direttori di giornali che facendo i filoislamici e gli antiamericani intascano stipendi da capogiro. Per gli stilisti che vendendo cenci da cinquantamila euro al pezzo si comprano storici palazzi e piani interi da Bloomingdale's. Per la Confindustria che fa lingua in bocca con la Cgil, insomma per quella che in America si chiama «the Caviar Left». La Sinistra al Caviale. Mah! Io non ci capisco più nulla. Quando ero bambina, i comunisti volevano che i ricchi si vergognassero d'essere ricchi. Sostenevano che la proprietà è un furto. Ora, se non sei ricco, ti sputano addosso. E spesso sono più ricchi dei ricchi di allora. Adorano il lusso e dicono di volersi battere per il superfluo. Del resto l'ho già scritto ne *La Forza della Ragione*: ormai Destra e Sinistra sono i due volti della medesima faccia. Quando parlo di Destra e Sinistra non mi riferisco a due entità opposte e nemiche, l'una simbolo di regresso e l'altra di progresso: mi riferisco a due schieramenti che come due squadre di calcio rincorrono la palla del Potere e che per questo sembran davvero due entità opposte e nemiche. Se le guardi bene, però, t'accorgi che nonostante il diverso colore delle mutande e delle magliette sono un blocco omogeneo: un'unica squadra che combatte sé stessa. La Destra laida, la Destra reazionaria ed ottusa, feudale, in Occidente non esiste più. O esiste soltanto in Islam. È l'Islam.

E come hanno reagito, le due squadre di calcio, al secondo libro su di noi e sull'Islam?

Se si escludono i giocatori leghisti, tutti contenti perché mi scaglio contro chi vorrebbe dare il voto agli immigrati, con la congiura del silenzio: appunto. Soprattutto fra gli attaccanti in magliette e mutande rosse, l'ordine del Minculpop è stato perentorio: «Tacere. Ignorarla nel modo in cui si ignora una vecchia pazza, ormai incapace d'intendere e di volere». Oppure: «Al massimo dire io-non-l'ho-letto-e-non-lo-leggerò». (La loro battuta preferita). Così le offese, le denigrazioni, le scritte Fuck-you-Fallaci, stavolta non ci sono state. Dio, che sollievo. E che favore. Perché ciò ha evitato il consueto lavaggio cerebrale degli italiani e favorito il successo del libro. Un successo assai più immediato di quello che benedisse *La Rabbia e l'Orgoglio*. Quello, infatti, impiegò circa un anno per raggiungere il milione di copie. *La Forza della Ragione*, invece, ha raggiunto le ottocentomila copie in meno di quattro mesi. E ciò significa che al milione di copie ci dovremmo arrivare, stavolta, assai prima. Inoltre sono quasi sempre rimasta prima in classifica. Il «quasi» sta per la settimana durante la quale venni retrocessa dal libro di Papa Wojtyla. Passata quella settimana, però, tornai subito al mio posto.

*Complimenti. A Lei, non al Papa. E a proposito, io
su quel libro in apparenza un po' difficile ho una
grossa curiosità: sapere chi sono i lettori.*

Quelli di sempre. In gran maggioranza, coloro che
i superciliosi della Caviar Left, la Sinistra al Caviale, chiamano con una punta di disprezzo «gente-
del-popolo». Giorni fa, qui in Toscana, mi dissi:
«Basta col fare l'ammalata a letto. Voglio alzarmi,
uscire». Poi mi alzai, chiamai mia sorella Paola, e
mi feci portare dal fagiolaio per comprare i fagioli
di Spagna. Sa, quelli grossi grossi che a cuocere ci
mettono un'eternità ma sono più saporiti delle bistecche. «Me ne dia un chilo». Data l'aria sparuta
che il ritorno dell'Alieno m'ha inflitto, credevo anzi speravo che il fagiolaio non mi riconoscesse. Invece il bravuomo mi riconobbe e: «Porca miseria,
l'è la Fallaci! Cara Fallaci, ho letto il su' nòvo libro
e di fagioli non gliene dò un chilo: gliene dò un
chilo e mezzo! E gratis». Parole per cui anche gli
altri clienti mi riconobbero e mi copriron di abbracci. «Grazie, brava, grazie! Quanto vorrei avere qui la mi' copia per fargliela firmare!». Dopo i
fagioli andai dal benzinaio che insieme alla benzi-
na vende i giornali. Un ex-comunista, il benzinaio,
che *l'Unità* ora non la sfiora neanche con un dito.
Per metterla sul palchetto usa i polsi e per dartela
dice: «La se la prenda da sé». Gli chiesi i quotidia-

ni, e al momento di pagare m'accorsi di non avere gli spiccioli necessari. Mancavano otto centesimi. Ma anche lui m'aveva riconosciuto e: «Oh Lei! La mi' moglie l'ha letto il su' libro. La dice che all'Oriana bisognerebbe fargli un monumento. Sicché i su' spiccioli io 'un li voglio. Anzi i giornali glieli regalo». Così di nuovo via con la merce gratis. Dopo il giornale andai a comprare la rete per cingere il pollaio che viene costantemente attaccato dalla volpe. E la bottegaia non mi riconobbe. Ma quando Paola pronunciò il nome Oriana, scoppiò il finimondo. «L'Oriana?!? Di notte leggo il suo libro e non mi riesce di metterlo giù. Ma l'è l'Oriana vera, lei, o un'altra Oriana che si chiama Oriana?». Unica differenza, la rete per il pollaio me la fece pagare, e salata. Quanto alle lettere che ricevo...

Da chi vengono?

Da ogni tipo di persone incluse quelle che i superciliosi chiamano «gente-del-popolo». Gente che scrive in ottimo italiano, oltretutto. Che contrariamente a molti politici e a certi giornalisti, nonché certi conduttori televisivi, conosce la Consecutio Temporum alla perfezione e non sbaglia mai un indicativo col congiuntivo. O un congiuntivo col condizionale. Guardi, questa viene da una giovane donna secondo la quale, bontà sua, sarei una specie di Madre della Patria. Ascolti il brano finale: «Non sono colta. Di politica non me ne intendo. Soltanto leggendola ho aperto gli occhi su quell'ambiente che mi fa rabbrividire. Però credo che i nostri principii occidentali, in sostanza i principii dei Dieci Comandamenti, siano giusti. E mi chiedo: dobbiamo aspettare di venir fagocitati dal Mostro senza far niente? Non è forse vero che c'è un mostro peggiore del Mostro ed è il mostro che si lascia fagocitare senza far niente?». Ora ascolti quest'altra. Viene da un camionista bolognese di trentaquattr'anni, sposato con due bambini. «Cara signora, ho appena finito di leggere *La Forza della Ragione*: l'unico libro che abbia regalato ai miei cari. Ed è da quando lessi *La Rabbia e l'Orgoglio* che vorrei scriverle. L'emozione che esso mi provocò fu pari a quella che avevo provato leggendo *Furore* di Steinbeck. Così d'impulso mi alzo dalla poltrona, cerco la carta, mi butto sulla penna, e parto dall'Undici Settembre: ovvio. Nel farlo sento ancora il dolore che mi bruciò a vedere quei palestinesi che esultavano mentre New York era ancora dentro il polverone. E come non rivedere i tristissimi personaggi italiani che le saltarono addosso? Dallo squallido cantante no-global ai Politically Correct. Dagli intellettuali di sinistra ai clericali. Quanta gente le ha dato contro, Oriana! Non se la prenda. Lo hanno fatto, lo fanno, perché *devono* criticarla. *Devono* dire che la Fallaci ha torto. Ma nel segreto del loro cuore la pensano come Lei. Il popolo le vuol bene, molto bene, e vorrei conoscerla. Vorrei bussare alla Sua porta con mia moglie, portarle tanti fiori e tanti tortellini».

Nessuna che la insulta?

A tutt'oggi, soltanto queste due. Come vede, non hanno il mittente sulla busta perché nel novantanove per cento dei casi quelli che m'insultano non ce lo mettono. Non mettono nemmeno la firma. Vigliacchi! Però una di queste due mi maltratta indirettamente. Per procura. Cioè riferendomi con aria afflitta che non riesce a far leggere *La Forza della Ragione* ai suoi colleghi e ai suoi studenti dell'Università di Verona. A quanto pare si rifiutano dicendo che la fascista son io. Mah! Se all'Università di Verona c'è gente simile, possiamo sperare poco nelle nuove generazioni. Comunque le altre lettere mi consolano. Perbacco, io credevo che in gran maggioranza gli italiani fossero degli Alberti Sordi e invece...

Parentesi: non le piaceva Alberto Sordi?

No. Mi disturbavano i personaggi ai quali prestava il suo volto e il suo corpo. Se ci pensa bene, tutti personaggi che si riassumevano in un solo personaggio sempre uguale a sé stesso. Quello dell'italiano vile, ignorante, furbo anzi furbacchiolo. Nonché godereccio, maligno, egoista, uso a servire i potenti e a maltrattare i disgraziati. Ergo, non mi divertiva. E tantomeno mi commuoveva. Inoltre m'irritava il fatto che i suoi estimatori lo sbandierassero come un simbolo da rispettare. Mioddio! Gli inglesi hanno il culto di Robin Hood, un eroe che ruba ai ricchi per regalare ai poveri. Gli svizzeri hanno il culto di Guglielmo Tell, un altro eroe che si batte per gli oppressi e per difenderli rischia d'ammazzare suo figlio. Gli scandinavi hanno il culto di Santa Klaus, un dolce vecchio che porta regali ai bambini. I francesi hanno il culto della Marianna, una bella guerriera popputa che al solo guardarla suscita fierezza. Gli americani hanno il culto di Topolino, un tipo che non sopporta mosche sul naso e ogni volta si batte come un Rambo. Gli italiani, invece, avevano il culto di Alberto Sordi. O del suo imbelle personaggio.

Parentesi chiusa e torniamo alle lettere. I giovani le scrivono o no?

Oh, sì. Infatti quando guardo le centinaia di buste che non ho ancora avuto il tempo d'aprire, che forse non aprirò mai, sento una gran malinconia e penso: peccato! Chissà quante vengono da loro. Chissà a quante carezze sul cuore rinuncio tenendole lì. Perché vede: oggigiorno tutti corteggiano i giovani. Tutti. La Destra, la Sinistra, il Centro, la stampa, la televisione, il cinema, il commercio, la Chiesa. Io no. Sebbene sappia che essere giovani è molto difficile, spesso addirittura doloroso, non li corteggio per niente. Anzi li rimprovero, li tratto con la severità di cui hanno bisogno. La stessa con cui cinquanta o sessanta anni fa gli adulti trattavano me. E giustamente. Inoltre non dimentico mai che le violenze piazzaiole ci vengono da buona parte di loro. Che gli squadrismi rossi e neri e verdi si devono a buona parte di loro, che l'osceno slogan «Dieci-cento-mille-Nassiriya» si bercia nei loro cortei. Però quelli che scrivono a me non rientrano in tale categoria. E sebbene a volte raccontino cose che fanno male, le loro lettere sono davvero carezze sul cuore. Così fresche, così sincere, così confortanti. Ascolti questa. Viene da un ventenne di Padova uso a dare del tu. «Cara Oriana, io sono un tipo qualsiasi. Il sabato sera vado in discoteca, ogni tanto mi faccio lo spinello, e fino a ieri sventolavo la bandiera arcobaleno. Frequentavo i pacifisti arrabbiati, insomma, non avevo mai posato gli occhi su un tuo libro. Alla mia università dicono che la-Fallaci-non-bisogna-leggerla e il mio professore, diessino, aggiunge che di te non-biso-

46

gna-nemmeno-pronunciare-il-nome. La mia ragazza invece ti ama alla follia. Lo scorso maggio mi ha messo in mano i tuoi due ultimi libri. Ha ringhiato che se non li leggevo da capo a fondo mi piantava. Li ho letti, e ho capito d'aver vissuto tra gente che mi prendeva in giro. Gente che snaturava i fatti a proprio uso e consumo. Ti ringrazio dunque e t'informo che ora la penso come te. Vedo ciò che prima non vedevo, ai presunti pacifisti dò di guerraioli, e se uno mi parla male della Fallaci m'incazzo di brutto».

Me ne legga un'altra.

Subito. Questa viene da Virgilio: un riflessivo diciassettenne di Castelfiorentino, studente di quarta Liceo ed autore d'un bel tema su *La Forza della Ragione*. L'ha scritta a mano, con aulica calligrafia, e mi piace tanto che vorrei leggergliela tutta. Ma è molto lunga, dura sette pagine, e mi limiterò alle prime due. Ecco qua. «Gentile Signora, grazie di dire pane al pane e vino al vino. Grazie d'aver tanto coraggio. È così scomodo, ormai, avere le sue idee. Anche per noi ragazzi, sa? Guai se osi lasciar la retta-via del Politically Correct, cioè dell'ossequio che i benpensanti rovesciano sui figli di Allah. Guai se ti azzardi a osservare che nei paesi mussulmani le chiese non si possono costruire, e che i cristiani e i buddisti e gli ebrei cioè i cani-infedeli loro li ammazzano volentieri. Guai se sostieni che l'Islam è allergico ai nostri valori e in particolare al concetto di libertà. Come minimo ti danno del razzista. Pensi che per tentar di stabilire il principio di Bene e di Male, tentar di capire cos'è l'etica e la morale, tempo fa si fece un dibattito in classe. Io portai l'esempio dei Talebani che uccidevano le donne con le unghie smaltate, e i benpensanti s'offesero a morte. Uno mi gridò indignato che ignoravo la regola fondamentale: mai esprimer giudizi sui comportamenti, i costumi, le religioni altrui. Un altro mi rampognò abbaiando: "Non dimentichiamo che i cristiani hanno fatto le Crociate!". Infatti a quel punto mi arrabbiai io perché ne ho abbastanza di veder presentare i Crociati come biechi assassini e il Feroce Saladino come un gentiluomo in frac. Ne ho abbastanza di veder giustificare con le Crociate gli abusi, le prepotenze, gli sgozzamenti, le decapitazioni. E poi chi le incominciò queste Crociate? Chi se lo prese per primo questo Santo Sepolcro? Chi invase metà dell'Europa con la mezzaluna, chi conquistò mezzo mondo a colpi di scimitarra? Chi la fa ora da padrone in casa nostra? Anche la Storia è opinabile?!? A quanto pare, sì. Ierisera, a cena, gli amici della mia famiglia dissero che nel 1945 la Francia e la Germania non furono liberate dagli americani bensì dall'Urss ed io fui quasi mangiato vivo per aver detto che Stalin era uguale a Hitler». Oh, è davvero una lettera interessante la lettera di Virgilio. Ma la cosa più interessante che contiene è la storia delle frittelle al marsala.

La storia delle frittelle al marsala?

Sì perché offre uno squarcio significativo sulla presunta integrazione con cui si cerca di far credere che esiste un Islam ben distinto dall'Islam del terrorismo. Un Islam mite, progredito, moderato, quindi pronto a capire la nostra cultura e a rispettare la nostra libertà. Virgilio infatti ha una sorellina che va alle elementari e una nonna che fa le frittelle di riso come si usa in Toscana. Cioè con un cucchiaio di marsala dentro l'impasto. Tempo addietro la sorellina se le portò a scuola, le offrì ai compagni di classe, e tra i compagni di classe c'è un bambino mussulmano. Al bambino mussulmano piacquero in modo particolare, così quel giorno tornò a casa strillando tutto contento: «Mamma, me le fai anche te le frittelle di riso al marsala? Le ho mangiate stamani a scuola e...». Apriti cielo. L'indomani il padre di detto bambino si presentò alla preside col Corano in pugno. Le disse che aver offerto le frittelle col liquore a suo figlio era stato un oltraggio ad Allah, e dopo aver preteso le scuse la diffidò dal lasciar portare quell'immondo cibo a scuola. Cosa per cui Virgilio mi rammenta che negli asili non si erige più il Presepe, che nelle aule si toglie dal muro il crocifisso, che nelle mense studentesche s'è abolito il maiale. Poi si pone il fatale interrogativo: «Ma chi deve integrarsi, noi o loro?».

A quanto pare, noi. Ne convengo. Ed ora mi dica se c'è nessuno, tra i suoi lettori, che le rivolge invece un rimprovero.

C'è. L'intelligente medico di Roma, ad esempio, che in questo fax mi scrive: «Ho appena finito di leggere *La Forza della Ragione*, libro che ho letteralmente divorato nei ritagli di tempo concessimi dal mio lavoro e che razionalizza le nozioni, le sensazioni, i timori, le incertezze da cui in maniera confusa e disarticolata ero turbato. Ora tutto è più chiaro. Però nella mia mente si affollano domande. Prima domanda: cosa posso fare, io? Pagina dopo pagina ho cercato la Sua risposta. E non l'ho trovata. Dunque dico: se tutti noi chiusi nel quotidiano prestiamo poca attenzione a ciò che sta avvenendo, se releghiamo la Sua analisi a una mera speculazione filosofica e dopo averla letta riabbassiamo la testa, come possiamo far sopravvivere la nostra cultura? In democrazia un cittadino sceglie di venir rappresentato da altri individui, ma alla luce della Sua analisi (analisi che condivido) non sappiamo a chi affidare la nostra delega per un giusto impegno a favore dell'Occidente. Che fare, dunque? Astenerci dal voto? Candidarci in prima persona e rinunciando al nostro mestiere? Spero che mi risponda». Bè, vorrei. Ma non posso. E il vero motivo non è neppure il fatto che di lettere ne ricevo troppe. Vengono da ogni parte del mondo, in diverse lingue, e se rispondessi a tutte passerei il tempo a far soltanto quello. Devo dedicarlo al lavoro, il mio tempo, alle cose che ho da dire prima di andarmene... Ma in questo caso il vero motivo è che la risposta alla domanda del medico gentile e intelligente io non ce l'ho.

Davvero non ce l'ha?

No perché investe i limiti e le bugie della democrazia. Non vi sono alternative alla democrazia. Se si rinuncia a quella, se muore quella, la libertà va a farsi friggere e come minimo ci ritroviamo in un gulag o in un lager o in una foiba. Insomma in prigione o sottoterra. Ma quando ci riempiamo la bocca con la parola Democrazia sappiamo bene che la democrazia fa acqua da tutte le parti. Sappiamo bene che è un sistema disperatamente imperfetto e sotto alcuni aspetti bugiardo. Lo sostengo anche ne *La Forza della Ragione*. Attraverso Tocqueville. Uno che di queste cose se ne intendeva. Sono due, dice Tocqueville, i concetti su cui si basa la democrazia: il concetto di Uguaglianza e il concetto di Libertà. Ma gli esseri umani amano l'uguaglianza assai più della libertà, e della libertà spesso non gliene importa un bel nulla. Costa troppi sacrifici, troppa disciplina, e non è forse vero che si può essere uguali anche in stato di schiavitù? Quasi ciò non bastasse, il concetto di uguaglianza non lo comprendono. O fingono di non comprenderlo. Infatti per Uguaglianza la democrazia intende l'uguaglianza giuridica, l'uguaglianza che deriva dal sacro principio «La Legge È Uguale Per Tutti». Non l'uguaglianza mentale e morale, l'uguaglianza di valore e di merito. Non il pari merito d'una persona intelligente e d'una persona stupida, il pari valore d'una persona onesta e d'una persona disonesta. Quel tipo di uguaglianza non esiste. Se esistesse, non esisterebbe la Vita. Non esisterebbe l'individualità, non esisterebbe la competizione. Cosa che include le Olimpiadi, le gare, le partite di calcio cui gli italiani tengono tanto. E saremmo tutti identici come automobili uscite da una catena di montaggio. Il guaio è che la democrazia aiuta gli ignoranti e i presuntuosi a negare questa verità, questa evidenza. Li aiuta col voto che si conta ma non si pesa, cioè col suo affidarsi alla quantità non alla qualità. Li aiuta con la retorica e la demagogia e il populismo. Risultato, qualsiasi marrano o qualsiasi incapace può presentarsi candidato e venire eletto. Magari con una valanga di voti. E visto che molti esseri umani non sono Leonardo da Vinci o San Francesco, a rappresentare l'elettorato sono spesso gli incapaci e i marrani. Infatti chi, se non loro, è il primo responsabile della catastrofe che stiamo vivendo? Chi, se non loro, sta consegnando, ha consegnato la nostra civiltà a una non-civiltà?

Sì, ma è un ben triste giudizio quello suo e di Alexis de Tocqueville...

Lo è perché dimostra che i limiti della democrazia sono i nostri limiti. Che le sue bugie sono le nostre bugie. E toglie speranza. Come me la cavo dunque con chi mi rimprovera di non fornire una risposta, di non suggerire una soluzione? Guardi, non me la cavo affatto. Io posso soltanto raccomandargli di non tacere, di non avere paura, di non rassegnarsi, di non farsi lavare il cervello. E poi posso ricordargli le parole di Alekos Panagulis. Appena uscito dal carcere di Boiati dove per cinque anni era rimasto in una minuscola cella con la sua condanna a morte, Alekos volle rivedere il Partenone. Lo portai a rivedere il Partenone, qui scoppiò in singhiozzi, e singhiozzando ripeteva: «Puttana democrazia ma democrazia... Puttana democrazia ma democrazia...».

Ha citato Alekos Panagulis. Ciò solleva un tema che altrimenti non oserei toccare, ed ecco. Della sua vita personale si sa ben poco. Al massimo si conoscono le invenzioni, le false illazioni, le presunte supposizioni che Lei non si cura neanche di smentire. Su Alekos e sul vostro amore, però, ha scritto il romanzo «Un uomo». E si sa tutto. O meglio: tutto tranne il motivo per cui non ha più messo piede in Grecia. Perché non ha mai rivelato il motivo di questa scelta?

Perché è un motivo che nasce dalle troppe cose indegne, spregevoli e indegne, avvenute dopo la sua morte. Cose di cui m'ha sempre ripugnato parlare e di cui spero di non esser mai costretta a parlare dando i nomi dei protagonisti. Ad esempio la storia dell'anello che alla morgue mi tolsi ed infilai al suo dito mentre una voce sconvolta dall'idea che il costoso oggetto finisse sottoterra protestava: «Ta diamanta, no! Ochi, no!». Era un anello, una fedina, di brillanti. Nei mesi successivi la salma di Alekos venne riesumata, non so perché. Dinanzi agli occhi inorriditi dei testimoni il costoso oggetto venne recuperato, ed anche per

questo giurai che in Grecia non sarei tornata mai
più. Un giorno l'aereo sul quale viaggiavo rien-
trando da Hong Kong si fermò ad Atene tre ore e,
nell'attesa che ripartisse, i passeggeri scesero. Si
trasferirono in una saletta dell'aeroporto. Io no.
Per non posare i miei piedi sul suolo greco, rimasi
a bordo. Sola. Infatti sulla tomba di Alekos non
ho mai portato un fiorellino. Ogni Primo Maggio,
cioè ogni anniversario della sua morte, gli ho spedito trentasette rose rosse: sì. (Aveva trentasette
anni quando lo uccisero). Ma quel fiorellino non
gliel'ho mai portato. Nel cimitero della mia famiglia, a Firenze, ho posto una lapide in sua memoria: sì. L'ho posta nell'angolo dove sarò sepolta.
Ma la sua tomba non l'ho mai vista e non la vedrò
mai. Non voglio vederla. Del resto, che senso
avrebbe vederla? Lì ci sono soltanto le sue ossa
spolpate dai cannibali che recuperarono ta-dia-
manta e dagli avvoltoi che vendono le T-shirt col
profilo dell'eroe-morto-a-Glyfada. La sua anima
sta nel mio cuore. Ed ora basta. Riprendiamo il
discorso sulla democrazia che nonostante i suoi
difetti, le sue colpe, non ha alternative.

*Subito. A colpi di spugna. E nella speranza che Lei
riesca a dimenticare quella bruttissima storia attraverso una domanda indiscreta: per chi ha votato,
Lei, nelle ultime elezioni? Per chi vota?*

L'ho già detto, nero su bianco, ne *La Rabbia e l'Orgoglio*. Per nessuno. Non mi riconosco in nessuno e non delego a nessuno l'arduo compito di rappresentarmi. Voto soltanto per i referendum cioè quando si tratta di accettare o rifiutare una legge, non un uomo o una donna. Sbaglio, lo so. Dò un cattivo esempio, lo so. Montanelli diceva che quando non ci si riconosce in nessuno bisogna tapparci il naso e votare lo stesso. Per il meno peggio. E lo capisco. Capisco anche che a non tapparmi il naso rendo un favore al nemico. Infatti nelle ultime amministrative pensai di tapparmelo per votare contro il sindaco diessino di Firenze che insieme al diessino presidente della Regione ha regalato la città allo straniero. Che coi figli di Allah devoti a Bin Laden, coi cinesi padroni di Prato, coi somali e i nigeriani che infestano il Centro Storico imponendo banchi abusivi, coi rumeni e gli albanesi da cui le case della campagna toscana vengono regolarmente saccheggiate coi furti notturni, si comporta come le marchese e le contesse e le baronesse che nel 1938 facevano le reverenze a Hitler. «Mein Führer, mein Führer». Ma poi non lo tappai, questo povero naso. Non mi riuscì. Non mi riesce. A quanto pare, hanno ragione quelli che mi accusano d'essere manichea.

E ad entrare in politica, far politica direttamente
non per delega, ci ha mai pensato?

Sì, una volta sì. Sono un animale politico. Vengo
da una famiglia ossessionata dalla politica, vedo
tutto in chiave politica, e la politica la frequento
da quand'ero bambina. Mi appassiona da quando ero adolescente. Così trent'anni fa Pietro Nenni voleva che diventassi senatore e insisteva perché mi presentassi come candidata indipendente
nella lista del Psi. «Fammi contento! Ti garanti-
sco l'elezione!». Bè, per un po' tentennai. Poi ri-
fiutai. «Mi dispiace, Nenni. Non posso, non posso». A parte il fatto che il Psi lo dirigeva Craxi, tra
me e Craxi non è mai corso buon sangue, me lo
impedì il manicheismo che mi impedisce di votare per un simbolo nel quale non mi riconosco. E
la tentazione non rinacque mai più. Vede, per me
la parola politica non è una parolaccia. È una parola santa. Un nobile impegno, un dovere. Non
uno strumento per far carriera, per assicurarsi
privilegi immeritati, per compiacere la propria vanità o brama di dominio. E dacché mondo è mondo la politica appartiene quasi sempre a chi non
la pensa come me. «In politica» mi disse un giorno l'allora presidente polacco Mieczyslaw Ra-
kowski «anche un angelo diventa una sgualdrina». Bè, non credo che in Parlamento sarei di-

ventata una sgualdrina. Ma i tipi per cui la politica è uno strumento per far carriera, assicurarsi privilegi immeritati, compiacere la propria vanità o brama di dominio, son troppi. Mi avrebbero sopraffatto e non sarei servita a nulla. Scrivendo, invece, servo a qualcosa. Vi sono tanti modi per fare la politica vista come nobile impegno, come dovere. Io la faccio scrivendo.

Allora come si sentì quando La Malfa e Sgarbi le offrirono pubblicamente di presentarsi alle elezioni europee con la loro lista?

Lì per lì non lo seppi nemmeno. La cosa accadde nei giorni in cui i medici mi confermarono che l'Alieno s'era risvegliato e che era troppo tardi per operare. Non leggevo i giornali, non avevo contatti col mondo, e pensavo a ben altro. Poi lo seppi e ci restai male. Pensai che prima di pubblicizzare l'offerta avrebbero dovuto parlare con me, chiedermi se la gradivo o no. Pensai anche che non avrebbero dovuto aspettare l'uscita de *La Forza della Ragione* per trasformare il «Partito della Bellezza» nel «Partito della Bellezza e della Ragione». Se l'avessero fatto, si sarebbero risparmiati la fatica di giustificarsi raccontando che Spadolini amava molto il vocabolo «Ragione». Tuttavia evitai una polemica vana. Cioè tacqui,

58

non volli mischiare il mio nome alle disinvolture cui s'erano già abbandonati. Forse vi s'erano abbandonati perché mi conoscono poco. Sgarbi l'ho visto una volta sola, circa due anni fa. Cioè quando trovandosi a New York chiese d'incontrarmi e io lo invitai a casa mia ponendogli due condizioni: che poi non scrivesse l'articolino e che non mi imponesse uno dei suoi leggendari ritardi. Arrivò puntualissimo, anzi con cinque minuti d'anticipo, e le due o tre ore che passammo insieme mi piacquero. È davvero intelligente, e simpatico. Inoltre è molto educato, comunque lo fu con me, e benedetto da una inconfessata timidezza che gli invidio. Però l'articolino lo scrisse. Peggio: ne scrisse due. Quanto a Giorgio La Malfa, anche lui l'ho visto una volta sola. Venti o trent'anni fa, nella residenza dell'ambasciatore italiano all'Onu. Sedeva su un gran divano rosso, tutto immusonito, e non mi degnò d'uno sguardo. Non rispose nemmeno alla domanda che gli avevo fatto per avviare la conversazione. Cosa che mi sorprese perché fin da bambina avevo frequentato suo padre, Ugo La Malfa, e ben sapevo quanto Ugo La Malfa fosse civile, brillante. C'est tout.

E se le offrissero un seggio per cui non è necessario entrare in politica, il seggio di senatore a vita?

Impensabile. Inconcepibile. Le nomine dei senatori a vita spettano al presidente della Repubblica. E Ciampi mi preferisce Mike Bongiorno o Stefania Sandrelli, graziaddio.

Torniamo alle elezioni, all'ultima campagna elettorale... So che a un certo punto l'ha seguita assai da vicino.

Purtroppo sì. Costringendomi a letto, l'Alieno favorì per settimane quel masochismo. E lessi, vidi, udii cose che mi nausearono fino allo spasimo. Perché erano dolorose conferme, dimostrazioni, del cancro che non si può curare nemmeno con la chirurgia e la radioterapia e la chemioterapia. La iattanza, anzitutto. La mancanza di civiltà, il cannibalismo con cui la squadra di calcio che indossa le mutande e le magliette della Sinistra esercita l'opposizione. Tanto per incominciare: è mai possibile che nei dibattiti televisivi i comunisti non lascino parlare l'avversario?!? I loro compagnons de route cioè i neo-Kerenski che gli reggono lo strascico, ad esempio l'insopportabile e petulantissimo verde che si è dichiarato bisessuale, lo stesso. I Margheritai, idem. Appena l'avversario apre bocca, lo interrompono. E se nonostante ciò lo zittito continua a parlare o rivendica il diritto di dire la sua, gli sovrappongono la propria voce come un cane che abbaia. «Scusa, tocca a me» protesta lo zittito «Io non ti ho interrotto, dunque lasciami rispondere». Ma l'altro continua inesorabile a latrare. Senza che il conduttore glielo impedisca, visto che il novanta per cento dei conduttori televisivi giocano la partita nella squadra con le mutande e le magliette rosse. Tutti. Inclusi quelli delle reti che appartengono a Berlusconi. Una sera vidi un dibattito cui partecipavano Rutelli e Tremonti. Bè, fino a un paio di anni fa credevo che Rutelli fosse più liberale dei suoi compagnons de route. Quando uscì *La Rabbia e l'Orgoglio* dichiarò al *New York Times* che avevo speso una vita nell'impegno civile e bisognava ascoltarmi anche quando non s'era d'accordo con me. Ma è proprio vero che chi pratica lo zoppo impara a zoppicare. Più che un intervento, quella sera aveva fatto un comizio senza fine. Alla Fidel Castro. Ergo, noi spettatori eravamo curiosi di udire ciò che Tremonti gli avrebbe risposto. Ma, quando giunse il suo turno, Rutelli lo interruppe nel modo consueto. «Ti prego, tocca a me. Tocca a me» pigolava l'educatissimo Tremonti. Bè, invano. Dopo avergli lasciato pronunciare qualche parola, l'uomo che col *New York Times* aveva difeso il mio diritto all'eresia gli sovrappose di nuovo la propria voce. Sempre senza che il conduttore si opponesse. E la vocina dell'avversario si spense dentro un altro comizio alla Fidel Castro che durò fino alla fine della trasmissione, non sapemmo mai che cosa voleva rispondere.

Succede in tutte le campagne elettorali, purtroppo. E non solo in Italia.

Succede soprattutto in Italia. Nell'Italia che partorì la Settimana Rossa e si consegnò a Mussolini già membro del partito socialista e direttore dell'*Avanti!* L'Italia che inventò le Camicie Nere e le bastonate agli avversari, le purghe con l'olio di ricino. L'Italia che coniò lo slogan «Ha da venì Baffone». E che oggi tollera le tracotanze degli Incappucciati. All'inizio dell'anno ho seguito le primarie del partito democratico americano e sì: è vero che le campagne elettorali tirano fuori il peggio di chi brama il Potere. È vero che autorizzano ad ogni sconcezza. È vero che anche in America il cannibalismo elettorale trionfa nel modo più sgomentevole. Ma in paragone ai nostri candidati i protagonisti di quelle primarie sembravano gentiluomini. Sofisticatissimi Monsignor Della Casa. I nostri... Io non dimenticherò mai ciò che una sera quello delle mani-pulite disse ai microfoni della Tv per sostenere il ritiro delle nostre truppe dall'Iraq. «Gli americani sodomizzano le mogli e le sorelle e le figlie, le bambine, degli iracheni» disse. E, se ne dubita, se non lo ha udito con le sue orecchie come l'ho udito io, cerchi le registrazioni fatte dai molti giornalisti che tenevano il microfono sotto la sua bocca. Bè, lo disse con tale sicurezza che nelle strade di Bagdad mi parve di vedere orde di pedofili in uniforme, di Marines intenti a straziare le donne e le bambine con l'orrenda operazione. E sbalordita, indignata, mi chiesi: ma si rende conto, costui, di ciò che dice? Lo conosce il significato del verbo sodomizzare? Forse no. Sia nel maneggiare la sintassi sia nello scegliere i vocaboli o i verbi egli è quello che la lingua italiana la offende di più. Poi mi chiesi: quanti italiani gli hanno creduto? E conclusi: certe cose non giovano certo alla loro educazione politica. Infatti quando gli Incappucciati berciano «Dieci-cento-mille-Nassiriya» il mio disprezzo è accompagnato da una certa pietà. Mi domando: sono delinquenti o vittime? È colpa loro o d'una classe politica che li corrompe con la sua rozzezza, la sua inadeguatezza, la sua demagogia, la sua mancanza di idee?

A Lei piaceva Berlinguer, si sa.

Mi piaceva, sì. E avevo buoni rapporti con lui. Sono una liberale. Per accettare una persona, per rispettarla, non ho mica bisogno che quella persona la pensi nel modo in cui la penso io! Altrimenti co-

me avrei fatto a voler bene a Pietro Nenni? Come
avrei fatto a provar simpatia per Giorgio Amendo-
la? Come avrei fatto ad andare a cena con Pajetta
che (lo racconto ne *La Forza della Ragione*) per ob-
bedire al suo partito m'avrebbe fucilato? Mi piaceva, Berlinguer, perché era un gran signore. Un
aristocratico nel senso migliore del termine. Un
uomo serio, raziocinante, elegante, e in più premu-
roso. Il tipo che se hai la febbre ti telefona per farti gli auguri. Una volta ebbi un brutto attacco di
malaria. Lo seppe e mi telefonò. «L'ho avuta anch'io, ed è un tormento. Ma Lei è una stoica, l'ho
capito. Rimanga tale. Nella vita lo stoicismo è una
necessità». Nei comizi eccedeva anche lui, d'accordo. Con la faccia distorta urlava e sembrava il
dottor Jekyll che diventa Mister Hyde. Però non
credo che avrebbe mai ordinato a Pajetta di fuci-
larmi. V'era un fondo di liberalismo, nella sua psi-
che. Un giorno gli feci un regalo. Un bel disegno
del Settecento, un quadretto che ritraeva un Con-
clave di cardinali. Lo avevo comprato da un anti-
quario di Stoccolma, e glielo detti pronunciando
una frase provocatoria: «L'ho comprato perché
questi pretacci mi ricordano il Suo Comitato Centrale». Esplose nella risata più divertita che abbia
mai udito, e commentò: «Ha proprio ragione».
Inoltre non era vanesio, non era presuntuoso.
Virtù rara tra i comunisti. I comunisti credono

sempre d'essere padreterni, agli altri guardan sempre con una stupidissima aria di superiorità. E vuol sapere quant'era diverso, Berlinguer, anche in quel senso? Un paio d'anni prima che morisse lo intervistai per il *Corriere* e lo *Washington Post*, e a un certo punto gli dissi: «Durante la Guerra Fredda un giornalista pose a Tito questa domanda: "Se anziché in Iugoslavia fosse nato in America, chi sarebbe oggi?". E Tito rispose: "Un ultramiliardario americano, naturalmente". Berlinguer, le pongo la stessa domanda con la parola Italia al posto della parola Iugoslavia». Rimase a lungo zitto e poi rispose: «Un piccolo professore, ad esempio un professore di filosofia in un piccolo College d'una piccola città americana».

Conosce Fassino?

Un po'. Lo incontrai nella tarda estate del 2002, quando i no-global volevano entrare nel Centro Storico di Firenze e sfregiare i monumenti senza che il pessimo sindaco e il pessimo presidente della Regione muovessero un dito. Anzi, mentre a spese dei cittadini gli prestavano la Fortezza da Basso dove una sera alcune squadracce avrebbero tentato di dare alle fiamme i miei libri. Bruciarli come nel 1933, a Berlino, i nazisti avevano bruciato quelli degli ebrei. Bè, per impedire che quei gentiluomini entrassero nel Centro Storico mi detti un gran daffare. L'ho già detto parlando dei motivi che quell'anno mi fecero dimenticare l'Alieno. Venni in Italia, dunque, e mi rivolsi a un mucchio di cosiddette autorità. A Destra e a Sinistra. Ed una di queste fu Fassino che venne a trovarmi in casa di mia sorella Paola a Milano. Sì, al momento di riceverlo provavo una certa curiosità. Dopotutto era l'uomo che ora stava al posto di Berlinguer, compito nel quale i suoi predecessori avevano penosamente fallito. Con quella curiosità aprii la porta. Entrò un giovanotto lungo lungo e secco secco, col nasone a punta e il completo grigio piombo, la faccia angosciata e gli occhi inquieti di Carlo Alberto. Sicché...

Carlo Alberto principe di Savoia e Carignano, re di Piemonte e di Sardegna, concessore dello Statuto nel 1848?

Proprio così. Stessa altezza, stessa magredine, stessa espressione insicura. Non gli mancavano che i baffi e la barba ottocentesca, l'uniforme blu e la spada. Infatti pensai: Gesù, anche lui è piemontese. Che una sua antenata sia stata a letto con Carlo Alberto? Era un gran tombeur de femmes, Sua Maestà. Alla povera Maria Teresa d'Asburgo-Lorena metteva più corna d'un toro, e una somiglianza del genere non può essere frutto d'un caso. Di Carlo Alberto aveva anche l'alterigia mitigata da una regale cortesia, e mi stupì molto quando dopo le prime battute mi chiese: «Perché non ci diamo del tu?». Domanda alla quale risposi che ero una signora all'antica: il tu lo davo soltanto ai vecchi amici, alle persone con cui ero stata alla guerra, e ai bambini. Risposta alla quale reagì con disinvoltura cioè allargando le braccia in un gesto che sembrava dire: «Peggio per te». Guardi, sebbene ritenga che il merito principale vada al ministro degli Interni cioè a Pisanu, penso d'aver salvato i monumenti di Firenze anche grazie alla sua cortesia. (Dico salvato in quanto l'oceanico corteo coi cartelli «Oriana puttana» e gli striscioni «Fallaci la terrorista sei tu» venne deviato sui viali periferici. L'accesso al Centro Storico gli fu proibito, e di lì passaron soltanto alcuni cani sciolti che scrivendo altre sconcezze su di me si limitarono a imbrattare i muri o le saracinesche abbassate). Però durante la campagna elettorale quella cortesia non l'ho più rivista, e il suo comportamento m'è parso ben poco regale. Gli avversari li ha aggrediti abbaiando come i suoi compagni, nei dibattiti televisivi li ha interrotti con assoluta mancanza di stile, e Carlo Alberto me l'ha ricordato solo attraverso le sue incertezze. Le sue titubanze, i suoi ripensamenti. Specialmente sul ritiro delle truppe italiane dall'Iraq. Il suo dire, ad

esempio, che «Zapatero non è la Bibbia» e poi il
suo allinearsi con la scelta di Zapatero che oltretutto è un furbacchione senza qualità e non vale un fico secco. Del resto il vezzo dell'incoerenza Fassino
l'ha dimostrato anche attraverso il suo offendere
Bush con linguaggio da no-global, il suo dar di
«criminale» a lui e agli americani, salvo poi ammettere che gli americani erano morti per noi ossia per
liberarci dal nazifascismo. Anche Carlo Alberto era
un gran tentennone. Cambiava idea ogni cinque
minuti, sia con gli austriaci che coi risorgimentali
faceva sempre il pesce in barile. E di lui non ti po-
tevi mai fidare.

*Ma non c'è proprio nessuno, a Sinistra, che oggi su-
sciti in Lei un po' di fiducia?*

Temo di no. Più ci penso e più concludo che in
modo diverso sono tutti uguali. Incominciando
da quelli che negando la Storia anzi pretendendo
di riscriver la Storia diseducano i giovani con le
loro balle. Prenda il caso del vanesio con la testa
rapata alla Yul Brinner. Quello che appartiene al
Partito dei Comunisti Italiani e che, come il petulantissimo verde che s'è dichiarato bisessuale, ci
affligge sempre con la sua smania di esibizionismo. Per dire, come l'altro, solo inutilità e sciocchezze. Ricorda che cosa disse nel dibattituccio

elettorale organizzato in piazza Navona da Sgarbi e da La Malfa? Disse: «Da Firenze in su l'Italia venne liberata dai partigiani comunisti». M'andò il sangue al cervello. Ignorante, gridai, è questo che racconti ai tuoi amici Incappucciati?!? Non conosci nemmeno la Storia recente? E se menti sapendo di mentire, come fai a mentire su un fatto che perfino gli studenti dell'Università di Verona conoscono?!? Firenze non venne liberata dai partigiani comunisti, perdio! Venne liberata, l'11 agosto 1944, dall'Ottava Armata e dalla Quinta Armata degli Alleati! Il resto del Centro-Nord, lo stesso. Dal Tirreno all'Adriatico i tedeschi avevano opposto la Linea Gotica che tennero ben nove mesi. E per liberare La Spezia, Bologna, Modena, Cesena, Reggio Emilia eccetera, gli inglesi e i canadesi e gli americani ebbero ben sessantasettemila tra morti e feriti e dispersi. Sessantasettemila! Digli almeno grazie, cafone! Ingrato! Quanto al Nord, lo liberammo da soli insorgendo subito dopo lo sfondamento della Linea Gotica: è vero. Però lo facemmo mentre i tedeschi in rotta fuggivano inseguiti, incalzati, dall'avanzata americana. Se tale avanzata non fosse stata in atto, non saremmo insorti. Non ci avremmo pensato nemmeno. E come a Firenze, come in tutta l'Italia, a combattere non furono i comunisti e basta. Nel Comitato di Liberazione Nazionale diretto da Ferruccio Parri, uomo di Giustizia e Libertà cioè del Partito d'Azione e non del partito comunista, c'eravamo anche noi di Giustizia e Libertà. In gran numero, perdio. C'erano anche i partigiani democristiani come quelli guidati da Enrico Mattei. C'erano anche i partigiani liberali e monarchici come quelli guidati da Edgardo Sogno. Un uomo che nella Resistenza s'è battuto come pochi. E per tutto ringraziamento i comunisti l'hanno infangato, denigrato, perseguitato, arrestato come un criminale. C'erano anche vari carabinieri e vari militari dell'esercito disfattosi l'8 settembre, ignorante! Vai a parlare di foibe, piuttosto. Oppure vai a parlare dei partigiani non-comunisti che i partigiani comunisti fucilavano in Toscana e in Piemonte e in Lombardia!

Suvvia, non si arrabbi...

È mio sacrosanto diritto arrabbiarmi. Perché io c'ero. Ero una piccola comparsa di quattordici-quindici anni. Una comparsa con le treccine. Ma c'ero. E non ho bisogno di leggere i libri di Storia che il vanesio con la testa rapata alla Yul Brinner non ha letto o finge di non aver letto, per buttargli in faccia la verità che vorrebbe falsare. C'ero, sì, c'ero. A Firenze, l'11 e il 12 e il 13 agosto 1944 il mio compito era portare le munizioni ai parti-

70

giani che Di Là d'Arno aiutavano gli Alleati a eliminare le retroguardie tedesche e repubblichine. Poiché i guastatori della Wehrmacht avevano fatto saltare i ponti e la città era divisa in due, gliele portavo attraversando il fiume alla Pescaia di Santa Rosa che quell'agosto era in secca e offriva un passaggio largo trenta centimetri. Coi rotoli di pallottole in spalla, pallottole da mitragliatrice, attraversavo il fiume sotto i colpi dei cecchini che mi sparavano dai tetti, perdio! E non ero una partigiana comunista. Ero una partigiana di Giustizia e Libertà. Anche i partigiani cui consegnavo le munizioni non erano partigiani comunisti. Erano partigiani di Giustizia e Libertà. E i morti che al terzo andirivieni trovai sul Lungarno, lo stesso. Cinque li avevo conosciuti pochi mesi prima sul Monte Giovi. La zona dove gli americani ci paracadutavano le armi che una volta i partigiani comunisti ci rubarono. Appartenevano alla Brigata Rosselli, quei morti, e avevan poco più della mia età: perdio! Mi arrabbio, sì, mi arrabbio. Perché è da mezzo secolo che i comunisti tentano di procurarsi l'esclusiva della Resistenza, far credere che l'hanno fatta loro e basta. Quando la si celebra nelle piazze si permettono addirittura di cacciare chi non sventola la bandiera rossa. Qualche anno fa questo accadde anche a Milano. Del resto l'hanno fatto anche in Vietnam. Il Fronte di Liberazione

Nazionale vietnamita era composto da uomini e donne di varie correnti politiche: a combattere nel Sud non c'erano i comunisti e basta. C'erano anche i buddisti, i cattolici, i liberali. Ma di loro non si parlava mai. Già nel 1967, cioè l'anno in cui io andai per la prima volta in Vietnam, si parlava dei vietcong (vietnamita-comunista) e basta. La parola Vietcong era entrata nell'uso comune anzi nel vocabolario fino a sintetizzare le altre, e sai perché? Perché, già allora, i comunisti s'erano appropriati dell'Fln quindi della Resistenza. Proprio come certi comunisti italiani hanno tentato, ancor oggi tentano, di fare in Italia. E ciò non è soltanto un insulto alla Storia: è un insulto ai morti altrui. È come dire che nei campi di concentramento tedeschi sono morti gli ebrei e basta, che i non-ebrei cioè i cattolici polacchi, i prigionieri russi, gli zingari, gli omosessuali, gli antifascisti di ogni nazionalità e religione incominciando da Mafalda di Savoia e dalla figlia di Nenni che morì a Dachau, stavano lì in vacanza. Comunque i motivi per cui in quella Sinistra non mi piace nessuno sono ben altri.

Quali sono?

Quelli di cui parlo negli ultimi due libri. Quelli che conoscono tutti. Il terrorismo intellettuale che, applicando la medesima strategia seguita per impadronirsi delle Resistenze, quella Sinistra esercita da sessant'anni. Il lavaggio cerebrale cui ha sottoposto la gente dandogli a bere che chi non gioca nella sua squadra di calcio è un cretino anzi un retrogrado, un reazionario, una persona spregevole e destinata all'Inferno. Poi, l'egemonia culturale che grazie a ciò ha stabilito in tutti i gangli della società. Nelle scuole, nelle università. Nei giornali, nelle televisioni. Nelle case editrici, nel mondo della musica, nel cinema. Nell'esercito, Carabinieri inclusi, nella polizia. Nella magistratura. Pensi ai magistrati rossi che la Sinistra ha tirato su, ai pretori che danno ragione al mussulmano anti-crocifisso, ai giudici che scarcerano i complici del terrorismo o gli impongono condanne da burletta. E a quelli che dichiarano: «La legge Turco-Napolitano era giusta, quella Bossi-Fini è ingiusta». Perdio, soltanto la Chiesa Cattolica era riuscita a imporre una simile egemonia culturale. Bisogna tornare alla tirannia con cui la Chiesa Cattolica ci ha rimbecillito e spaventato per secoli, ai suoi lavaggi cerebrali, alle sue Inquisizioni, per trovare un caso simile a quello che da oltre sessant'anni stiamo vivendo in tutta l'Europa sì ma soprattutto in Italia. La dittatura di Hitler e Mussolini, infatti, durò solo un ventennio. Questa dura da oltre sessant'anni e con l'avvento del Duemila ha raggiunto vette allucinanti. Pensi alle bandiere arcobaleno che hanno sostituito le bandiere rosse. Sono diventate i nuovi stendardi della Madonna, le bandiere arcobaleno. E guai se al posto di quelle tieni, come me, il tricolore. È ormai un'eresia, tenere il tricolore. Vieni considerato un reazionario, un fascista, un guerrafondaio, se metti alla finestra il nostro tricolore. Ma lo sa che non lo vende quasi più nessuno?!? Lo sa che molti hanno paura, dico paura, a venderlo?!? Lo sa che per comprarlo bisogna andare nei negozi che vendono gli articoli militari?!? Gli articoli-militariii! E non finisce qui.

Oddio, a chi tocca?

Tocca al falso pacifismo: la carta che la Sinistra gioca dal tempo in cui se lo faceva imporre dall'Unione Sovietica dove il vocabolo Pacifismo imperava ma il Primo Maggio si celebrava con un'orgia di cannoni, carri armati, missili, bombe, truppe che marciavano a passo d'oca come le truppe di Hitler. La carta che nelle ultime elezioni la Sinistra ha giocato con ipocrisia ancora più raggelante attraverso i suoi non-leader e i pacifisti guerraioli che in nome della Pace insultavano perfin Fassino con la sciarpa arcobaleno al collo. E ringraziare Iddio se lo stesso giorno la sempre allineata Tv ci consentì di vedere nel corso del telegiornale un poliziotto che ad una "pacifista" col microfono di giornalista sibilava indignato: «Signorina, la pace è una cosa e il pacifismo un'altra». Tocca al velenoso antiamericanismo con cui la Sinistra già serva dell'Unione Sovietica si sciacqua la bocca. Tocca allo sfacciato filoislamismo cioè al sigrid-hunkismo che la Sinistra già ammalata di antisemitismo ha sposato senza pudore. Quel sigrid-hunkismo a cui ne *La Forza della Ragione* mi riferisco parlando della nazista Sigrid Hunke e del suo libro *Il Sole di Allah brilla sull'Occidente*. Tocca insomma all'antioccidentalismo di cui, masochisticamente, la Sinistra si macchia. Al suo sostenere i nemici della nostra cultura, della nostra civiltà. Al suo definire i terroristi «combattenti» o «resistenti». Al suo favorirli minimizzando o ignorando le loro stragi. Al suo aiutarli con gli estremisti che non condanna mai quanto dovrebbe. O dai quali a parole prende le distanze però nel medesimo tempo gli presta i locali per le conferenze-stampa degli Incappucciati. Tocca al calcolato cinismo con cui ormai alimenta l'invasione islamica, con cui impone il farisaico concetto di «accoglienza», con cui incoraggia e protegge i clandestini, con cui in tutti i possibili modi propaganda la cosiddetta cultura islamica. Del resto non fu durante il governo Prodi e il governo D'Alema che quella propaganda esplose e l'invasione s'incancrenì?

E dall'altra parte, la parte dell'attuale governo?

Non mi faccia arrabbiare di nuovo. Che cosa hanno fatto, dall'altra parte, per impedire che l'Europa diventasse l'Eurabia cioè una colonia dell'Islam, e l'Italia un avamposto di quella colonia?!? Che cosa hanno fatto per spengere almeno in Italia ciò che chiamo l'Incendio di Troia?!? Se si escludono alcune battaglie della Lega che però finisce sempre col cedere ai compromessi, se si esclude l'insufficiente legge Bossi-Fini che Fini ha macchiato con la sua incostituzionale proposta di dare il voto allo straniero, le rispondo: ben poco. Gli sbarchi sono un po' diminuiti, lo ammetto. Però continuano, inesorabili. D'estate, anche mille persone al giorno. E se una barca non ce la fa, ci pensa la nostra Guardia Costiera a darle una mano. Magari in acque internazionali... Le elargizioni degli asili politici, lo stesso. Il proliferare dei clandestini e l'inettitudine o la timidezza con cui le Questure li affrontano, idem. Zitte zitte le moschee sorgono ovunque, e la tracotanza degli invasori è raddoppiata a tal punto che nessuno ci fa più caso. Dica: chi si ribella oggi alla notizia che a Colle Val d'Elsa cioè nel paesaggio di Simone Martini e Duccio Boninsegna e Ambrogio Lorenzetti sta per sorgere una moschea col minareto alto ventiquattro metri? Una moschea che sarà seconda solo alla megamoschea di Roma, l'abuso che racconto ne *La Forza della Ragione*. Chi si indigna, oggi, per il marocchino che infrangendo il Codice Penale tiene due o tre mogli e vorrebbe mettere il burkah anche a me? Chi si arrabbia, oggi, con l'albanese che gestisce la prostituzione e che ubriaco investe i passanti, li uccide? Chi si oppone, oggi, al sudanese che fa la pipì sui monumenti e spaccia la droga sui sagrati delle chiese? Chi protesta, oggi, contro il somalo che per salvare il barbaro principio dell'infibulazione inventa e diffonde attraverso un pubblico ospedale la farsa della cosiddetta soft-infibulation? Chi si scandalizza, oggi, per l'algerino che aggredisce o ricatta il carabiniere in procinto di arrestarlo? «Guarda-che-se-ti-avvicini-mi-taglio-il-cazzo-con-questa-lametta, poi-dico-che-me-l'hai-tagliato-tu-e-in-galera-ci-finisci-tu» dicono, quasi sempre, in quella circostanza. Chi si sorprende, oggi, per gli articoli strappalacrime dei cosiddetti giornali indipendenti o per le oltraggiose insensatezze di quelli che come *l'Unità* darebbero il permesso di soggiorno anche a Bin Laden? La gente è rassegnata, ormai. Abituata, addormentata. Subisce queste cose passivamente, le accetta come l'alternarsi delle stagioni. E la colpa di tutto ciò è anche dell'Altra Parte.

Sospendo per un attimo il mio ruolo di ascoltatrice consenziente e le dico: noi due siamo quelle che

durante la guerra in Vietnam raccontarono le tur-
pitudini dell'una e dell'altra sponda. Quelle che la
verità la scrissero sia da Hanoi sia da Saigon. Il
suo sdegno salomonico, quindi, lo capisco. Però
non si può condannare tutti in uguale misura.
Non si può attribuire a tutti lo stesso ammontare
di colpa.

Ne convengo. Il guaio è che esistono tanti modi
per favorire, volontariamente o involontariamen-
te, il nemico. Ed uno è il silenzio, l'inerzia, oppure
l'ambiguità con cui l'Altra Parte si comporta. Li
osservi bene, quelli dell'Altra Parte. Sullo straniero che spadroneggia a casa nostra, hanno sempre
un atteggiamento ambiguo. O fanno il pesce in barile, danno un colpo al cerchio e un colpo alla botte, o tacciono. Ma si rende conto che nell'ultima
campagna elettorale nessuno di loro ha parlato di
immigrazione, di problemi connessi all'immigrazione?!? Nessuno. Neanche quelli della Lega. Era
un tema che riguardava, riguarda, l'Europa e quindi i deputati del Parlamento Europeo: sì o no? Era
un tema che riguardava, riguarda, le nostre città e
quindi i sindaci da eleggere: sì o no? Il tema più
evidente, direi. Il più urgente. Il più drammatico.
E tuttavia loro hanno cianciato solo dell'Iraq, delle truppe da ritirare o non ritirare, dell'Onu da
coinvolgere o non coinvolgere. E sullo straniero

che spadroneggia a casa nostra, che sbarca quando vuole e come vuole, che in ogni senso si fa beffe di noi, silenzio di tomba. Quasi avessero firmato un accordo coi loro avversari. Eh! Forse lo avevan firmato davvero. Perché in pubblico si azzannano, sì. O si lasciano azzannare. Ma in privato fanno lingua in bocca. Vanno al bar insieme, a cena insieme, alla partita insieme, al mare insieme. Si tirano le pacche sulle spalle, si considerano «colleghi». L'altra sera, in Tv, ho visto una scenetta significativa. Sullo sfondo di piazza Montecitorio si vedevano due omìni che camminavano insieme. Camminando si parlavano cordialmente, direi affettuosamente, si sorridevano come due fidanzati. Ho aguzzato gli occhi, e indovina chi erano: il segretario dell'Udc e il segretario dei Comunisti Italiani. Bè, sono certa che non pochi commenteranno: «Che condotta civile». Io no. Alla mia etica, al mio rigore morale, non va affatto bene che due individui ai quali i rispettivi elettori hanno affidato scelte così opposte vadano a spasso insieme, sorridendosi come due fidanzati. Anzi, come se dicessero: «Hai visto? Quei cretini non si sono accorti che sull'immigrazione entrambi abbiamo tenuto il becco chiuso». E questo senza contare gli errori e le mancanze che dall'Altra Parte mi scorano o addirittura m'indignano.

Ad esempio?

Ad esempio, l'ho già detto ma lo ripeto volentieri,
il fatto che non abbiano avuto i coglioni per imporre i funerali di Stato a Quattrocchi. Ad esempio il fatto che non siano riusciti a procurarsi il video censurato dai lacchè di Al Qaida cioè dall'e-
quivoca rete televisiva che ha nome Al Jazeera.
Perché? Era un nostro concittadino il boia al quale Quattrocchi disse nella nostra lingua «Ora ti
faccio vedere come muore un italiano»? Era un
complice legato alle Brigate Rosse o agli Incappucciati o a certi no-global? Quelli dell'Altra Parte avrebbero dovuto scoprirlo. Avrebbero dovuto
anche scoprire chi c'era dietro il comunicato col
quale, per liberare i tre ostaggi rimasti, le Brigate
Verdi di Maometto avevano attaccato Berlusconi
e chiesto e ottenuto un corteo pacifista. Questo
proprio durante la campagna elettorale. Domanda: chi suggerì alle Brigate Verdi di Maometto
quel comunicato? Chi glielo redasse? Peggio. Chi
ha redatto, o chi ha suggerito, il messaggio con cui
Bin Laden ci informa in italiano che il suo prossimo obbiettivo sarà l'Italia-di-Berlusconi-servo-
della-Casa-Bianca eccetera? Perfino il linguaggio
stavolta era simile al linguaggio delle Brigate Rosse, degli Incappucciati, di certi no-global. Ed io
escludo che Bin Laden sia un profondo conosci-

tore della politica italiana. Escludo che Berlusconi lo interessi più di Bush e di Blair. Ergo, in quel messaggio ci vedo lo zampino d'un boia nostrano. E ripeto: quelli dell'Altra Parte dovrebbero scoprirlo, dircelo. Ma non lo scopriranno. E se lo scopriranno non ce lo diranno.

Vedo che il mio tentativo di frenare il suo salomonico sdegno, il mio ricordarle che non si può condannare tutti in uguale misura, è servito a ben poco.

Il fatto è che non riesco ad applicare il suo ragionamento. Se guardare i calciatori della squadra con le mutande e le magliette rosse o rosa o verdi o arcobaleno m'infuria, guardare quelli della squadra con le mutande e le magliette bianche o nere o azzurre mi scora. Perfino esteticamente. Ce n'è uno che sembra il Jolly interpretato da Jack Nicholson nel film *Batman*. Il suo sorrisetto ghiaccio ha qualcosa di sinistro. Ma è vero che faceva il dentista? Gesummio. Piuttosto che vedermi quel ghigno addosso mi terrei il mal di denti. Io mi son divertita tanto quando il quotidiano *Libero* ha pubblicato in prima pagina la sua fotografia sotto un titolo che dice: «Siamo nelle mani di questo qui». Ce n'è un altro che sembra lo scemo del villaggio. Ha una faccia così poco intelligente, poverino, e un labbro così pendulo, che vien voglia di pagargli una plastica. Quanto a ciò che dice, bè: non molto tempo fa scivolò sulla buccia di banana farfugliando un discorso da cui risultava che Mussolini era stato un Padre della Patria. Ce n'è un altro ancora che sembra un capo-gang dei film western. Se fossi un regista di western, gli offrirei subito un contrattino per le parti di cattivo. In più solleva in me cattive memorie. Le memorie di quand'ero bambina e la politica si faceva con l'olio di ricino. Ideologicamente, del resto, il suo partito viene da lì, e come nel caso degli ex-comunisti non credo che certe radici si dissolvano facilmente. Quanto agli ex-democristiani della squadra, oddio. Mi ricordano tutti Mortadella cioè Prodi. Non capisci mai con chi stiano e che cosa rincorrano. A parte, beninteso, il potere. Ho scoperto che in dieci anni quello che dovrebbe diventare commissario all'Unione Europea ha cambiato indirizzo cinque volte. Nel 1994 abitava in un posto che si chiamava Ppi: Partito Popolare Italiano. Nel 1995, in uno che si chiamava Cdu: Cristiani Democratici Uniti. Nel 1998, in uno che si chiamava Udr: Unione Democratica per la Repubblica. (Ma non ce l'abbiamo già, la repubblica?). Nel 1999, in un quarto che si chiamava Gruppo Misto. Nel 2002, in un quinto che ancor oggi si chiama Udc: Unione Democratica Cristiani di Centro. Oh, lo so che a dir queste cose faccio un regalo al sosia di Carlo Alberto e al vanesio con la testa rapata alla Yul Brinner e allo stesso Mortadella. Lo so che a fare il Salomone scoraggio coloro che poi mi pongono la domanda alla quale non so rispondere: «E allora con chi stiamo, per chi votiamo?». E me ne dolgo con tutta l'anima. Ma non sarò certo io a usare il sistema dei due pesi e delle due misure.

Il che ci porta dritto a Berlusconi.

Sì, ma senza leccarci le labbra. Senza infierire su di lui come i vignettisti che lo sansebastianizzano per far piacere ai Ds. Io non sono mai stata una sostenitrice di Berlusconi. Ne *La Rabbia e l'Orgoglio* gli ho dedicato un capitoletto impietoso, quasi villano, ed anche ne *La Forza della Ragione* gli ho dato una tirata d'orecchi. Ma non sarò nemmeno il suo Maramaldo. Cioè l'ottuso e feroce soldato di ventura che nel 1530, durante l'assedio di Firenze, uccise Francesco Ferrucci ferito e in catene. Sicché Ferrucci spirò dicendo con disprezzo: «Maramaldo, hai ucciso un uomo morto».

Lo vede dunque come un moribondo anzi un morto?

No, morto no. Ancora no. La Sinistra non ha vinto le ultime elezioni. In Francia e in Germania quelle europee le ha perse clamorosamente, e in Italia ha appena pareggiato col Centro-Destra. Quanto a quelle amministrative, le hanno vinte gli estremisti con cui l'Ulivo dovrà fare i conti. E già vedo le piume, le creste, i bargigli che volano nel pollaio: è mai possibile che i no-global e i Bertinotti e i Cossutta possano digerire Mortadella? Nel 1998 Bertinotti lo piantò in asso, e ancor oggi ne va fiero. Uso il paragone di Maramaldo perché Berlusconi è ferito, gravemente ferito, e in catene. Prigioniero di sé stesso, anzitutto. Dei suoi errori, dei suoi difetti. Primo difetto, una desolante mancanza di umiltà. Primo errore, non aver capito che gli italiani lo avevano eletto per disperazione non per convinzione. Cioè perché non riuscivano più a sopportare le incapacità e le arroganze della Sinistra, i suoi sgomentevoli Prodi, i suoi boriosi D'Alema, i suoi sigrid-hunkisti da strapazzo. Eppure nel 1994 Berlusconi lo aveva intuito. Ricordo perfettamente come reagì, in Tv, alla notizia che aveva vinto le elezioni. Appariva incredulo, stupefatto. Sembrava dicesse: «Perdiana, è capitato proprio a me?!?». Anzi in certo senso lo disse. Non rammento la frase esatta ma in sostanza disse che la politica non era il suo mestiere, lui era un povero imprenditore, tuttavia avrebbe cercato di cavarsela e se avesse fallito sarebbe tornato a casa. Parole che mi spaventarono e nel medesimo tempo mi piacquero. Non a caso pensai: «Giovanotto, se temi di fallire

cioè di non riuscire perché ti sei presentato?!?».
Poi, quasi sedotta dall'involontaria innocenza di
quelle parole: «Perbacco! Chi l'aveva mai detta
una cosa simile?!?».

Torniamo alle catene e alle ferite che lo bloccano.

Prigioniero di sé stesso e dei suoi infidi alleati, dicevo. Delle loro meschinerie, delle loro imboscate,
dei loro tradimenti, dei loro ricatti, dei loro futuri
ribaltoni. E ferito, gravemente ferito, dal cannibalismo degli avversari che cianciano di democrazia
ma in fondo al cuore sono democratici quanto io
son mussulmana. Gronda sangue da tutte le parti,
il sansebastianizzato Berlusconi. I nemici lo hanno
morso con tutti i denti che avevano in bocca. I magistrati rossi. I sindacati che da sessant'anni sono
un feudo personale di Karl Marx. I banchieri che
in barba al Popolo custodiscono i miliardi dell'ex-
Pci. I direttori dei giornali che sognano di vederlo
penzolare a capo in giù da un gancio di piazzale
Loreto. Le televisioni che egli possiede invano. I
pacifisti guerraioli, i siti Internet che possono
diffondere qualsiasi calunnia. L'Olimpo Costituzionale che, non avendo con lui debiti di gratitudine anzi dovendo le sue fortune alla Sinistra che
compiace con tanto scrupolo, ha sempre fatto di
tutto per dimostrare che non lo può soffrire. E la

stessa Confindustria che a parte i comunisti della Caviar Left va dove la porta il vento dei suoi calcoli finanziari. Sicché non meravigliarti se il suo neo-presidente si presenta come un Agnelli alla festa che la Cgil ha organizzato a Serravalle Pistoiese e gli operai lo applaudono allo stesso modo in cui applaudivano Togliatti o Berlinguer. Ferito, infine, dal fatto di non appartenere alla mafia politica e d'essere in quel senso un vero parvenu. I parvenus, cioè i new-comers, i self-made men, piacciono in America dove la moderna democrazia è stata inventata. Non in Europa dove neanche la Rivoluzione Francese servì a spengere l'asservimento psicologico al concetto di aristocrazia. D'accordo, dalla fine dell'Ottocento in poi la storia d'Europa è colma di parvenus e new-comers e self-made men giunti al potere. Ma incominciando da Napoleone che per esser veramente accettato dovette farsi re e imperatore, sono sempre durati poco. E in Italia farli cadere è particolarmente facile perché gli italiani sono volubili. Impazienti e volubili. Ora ti amano e ora ti odiano, ora ti esaltano e ora ti buttano via. In più, e al contrario delle masse americane, sono gelosi di chi ha molti soldi. Infine, per mancanza di educazione politica o pigrizia o mollaggine, non si assumono mai le proprie responsabilità. Le attribuiscono sempre al potere in carica. Piove-governo-ladro.

Parliamo dei difetti.

Sono difetti che derivano dalla sua mancanza di umiltà. Berlusconi non è un uomo stupido: sono stupidi quelli che lo trovano stupido. Berlusconi è un uomo intelligente. Se non fosse intelligente, non avrebbe avuto l'enorme successo che ha avuto come imprenditore e come politico improvvisato. Non sarebbe diventato una delle trenta persone più ricche del mondo. Più ricco del re dell'Arabia Saudita, più ricco dello sceicco degli Emirati Arabi, Zayed Bin Sultan Al Nahyan. Assai più ricco della regina Elisabetta e di Bush. Lo ha detto lo scorso febbraio la rivista *Forbes* che su queste cose non sbaglia mai. Se non fosse intelligente, non avrebbe nemmeno inventato nel giro di cinque mesi un partito che al primo colpo vinse le elezioni cioè il terno al lotto che nel 1994 stupì anche lui. L'autentico successo non nasce dal caso, dalla fortuna. Nasce dal merito, figlio dell'intelligenza. Però è anche un uomo sfrenatamente presuntuoso, povero Berlusconi. Crede sempre d'essere il più bravo di tutti. Il più capace, il più astuto, un genio in grado di risolvere qualsiasi problema. Incluso il problema di governare da solo un paese. E governare un paese è davvero il compito più difficile che esista. Per farlo ci vuole una grande umiltà. Personalmente Berlusconi non lo conosco. Ma in questi anni l'ho osservato bene. Ho analizzato bene ciò che faceva, ciò che diceva, e ogni volta sono arrivata alla medesima conclusione: quell'uomo è troppo presuntuoso. Più presuntuoso dei comunisti che sono i presuntuosi più presuntuosi della Terra. Anche i suoi errori di gusto derivano dalla sua presunzione. Pensi a quello che commise l'anno scorso, quando invece di recarsi in Iraq a ringraziare i nostri militari si assentò per fare il lifting. Mi caddero proprio le braccia. Con sgomento esclamai: «Porca miseria, ci sono andati tutti in Iraq! Perfino quel babbeo di Carlo d'Inghilterra. Lui non c'è ancora andato e ora perde tempo a lisciarsi le rughe come Gloria Swanson nel *Viale del Tramonto*». Poi conclusi: perbacco, lo zio Bruno aveva proprio ragione quando parlava di intelligenti-cretini anzi di cretini-intelligenti! E va da sé che, rispetto allo sbaglio principale, quell'errore di gusto fu un'inezia. Una quisquilia.

Quale sarebbe, secondo Lei, lo sbaglio principale?

Il fatto che, ritenendosi un genio in grado di risolvere tutto da solo, si circondi quasi sempre di persone che non valgono un fico. Di mediocri, di yesmen, cioè di tipi che gli dicon sempre sì. Tanto-ci-sono-io, ci-penso-io, pensa lui. Anche Napoleone era un presuntuoso. Era il dio, il simbolo, dei presuntuosi. Eppure si sceglieva sempre il meglio del meglio. I migliori generali, i migliori diplomatici, i migliori giuristi, i migliori scienziati, i migliori architetti, i migliori artisti, i migliori consiglieri. Anche se gli erano odiosi come Talleyrand. («Monsieur Talleyrand, vous êtes une merde dans un bas de soie. Lei è una merda dentro una calza di seta» diceva a Talleyrand). Berlusconi, no. E, se ne licenzia uno, si mette senza esitare al suo posto. Diventa ministro degli Esteri, dell'Ambiente, dell'Economia, del Tesoro, dell'Istruzione, dello Sport, della Giustizia, della Sanità, degli Affari Sociali, delle Pari Opportunità. Peggio. Se per grazia divina gli capita un tipo in gamba, un tipo che pensa con la propria testa, prima o poi lo molla o si fa mollare. Un consigliere in gamba ce l'aveva, infatti. Era Giuliano Ferrara. A me non piace Ferrara. Non perché è troppo grasso ma perché è cattivo. Viene dal partito comunista, in lui dorme qualcosa che è ancora bolscevico. Inoltre non sopporta le vittorie altrui e, sebbene su molte cose la pensi esattamente come me, su di me ha scritto o lasciato pubblicare cose ributtanti. False, diffamatorie, ributtanti. Non a caso l'ho querelato e, se in Italia andasse di moda anche la giustizia, verrebbe condannato almeno all'ergastolo. Però nessuno può negare che sia intelligente. Che sia colto, che la sua mente funzioni in modo egregio, e che di politica se ne intenda come pochi. Bè: a quanto pare, Berlusconi lo ha mollato. Anzi, si è lasciato mollare. A quanto pare, non lo ascoltava e alla fine Ferrara s'è rotto le scatole. Gli ha detto: «Fai quel che diavolo vuoi».

E del caso Tremonti che ne pensa?

Io non parlo mai delle cose che non capisco. E di economia, di finanza, non capisco un accidente. Nemmeno che cosa sono i soldi, le banche, la Borsa, e via dicendo. O meglio: capisco soltanto che in tutta l'Eurabia l'economia va male per via del Club Finanziario che ha nome Unione Europea. Cioè per via del fottutissimo euro che costa molto più del dollaro sicché un pomodoro lo paghi quanto un diamante e i prodotti europei vendono meno di quelli americani. Se due negozi offrono a prezzo diverso l'identica merce, vai da quello che te la fa pagare meno: o mi sbaglio? Così non posso sapere se nel governo Berlusconi il professor Tremonti fosse una specie di Adam Smith, un Einstein dell'Economia, un tipo dinanzi al quale bisogna levarsi dieci volte il cappello. Però so che il suo licenziamento fatto attraverso la solita lettera di dimissioni m'ha scandalizzato. Vi ho visto un gesto di debolezza nei confronti d'una opposizione che pretende di governare, che gli impedisce di governare anche quando vuole cose da cui il popolo trarrebbe vantaggio. Come la faccenda delle tasse che Berlusconi vuole abbassare e che quei parolai non gli lasciano abbassare. Vi ho visto addirittura un atto di masochismo, in quel licenziamento. E vorrei tanto che la battuta di Tremonti fosse vera.

Quale battuta?

«Caro Berlusca, sul piatto d'argento io ci metto la testa. Ma tu mettici i coglioni».

Niente male. E ora riprendiamo il J'accuse.

Bè, secondo me Berlusconi ha studiato poco. Ha una laurea in legge, sì, ma la laurea non basta: ho conosciuto più ignoranti con la laurea che senza la laurea. L'ignoranza è una caratteristica molto diffusa tra i politici, si sa. Basti pensare a quelli che fanno gli sfondoni di sintassi: la mia ossessione. Ma non si può governare da soli ignorando le basi della politica. Per incominciare, la Storia e la Filosofia. E mi meraviglierei molto se Berlusconi fosse un esperto di Storia e di Filosofia. Inoltre mi sembra che del Potere abbia un concetto piuttosto frivolo. Superficiale. Che per lui il Potere significhi stare su un trono. E non un trono che si regge sull'autorità morale o intellettuale ma sull'autorità politica. Si eccita troppo quando si trova accanto a Bush o a Putin. E perfino quando incontra quelle due nullità che si chiamano Schröder e Chirac. Il suo eterno sorriso si allarga fino alle orecchie anzi fino alla nuca, gongola tutto, e per una volta dimentico della sua presunzione sembra dire: «Guarda con chi sto!». Sotto sotto ne sembra anche un po' intimidito. Proprio come un parvenu che badando al grado e all'apparenza, non alla sostanza, si sente finalmente accettato. Arrivato. Non capisce, insomma, che nella stragrande maggioranza dei casi chi siede su un trono dell'autorità politica è un poveraccio qualsiasi cui è capitata la fortuna di vincere la lotteria. Forse Ferrara s'è dimenticato di spiegarglielo. Se lo incontrassi, cosa che non desidero perché se lo incontrassi ci litigherei a morte, glielo spiegherei io. Gli direi che ho conosciuto più uomini al potere di quanti ne abbia conosciuti lui. Per intervistarli sono stata giornate intere con loro, e posso garantirgli che cinque casi su dieci si trattava di poveri stronzi, sicché lasciarsene intimidire sarebbe stato insensato. Del resto, nella maggior parte dei casi, ero io a intimidire loro... Oppure si trattava di tipi da non prender sul serio. Pensi a Kissinger che il risibile Nobel per la Pace lo vinse per una Pace mai conseguita. E che anche con me fece un mucchio di figuracce inclusa quella d'aver negato la famosa frase sul cowboy e aver detto che in fotografia sembravo una bella donna ma in realtà ero un brutto anatroccolo. «A little ugly duck». Nonché quella d'aver scritto nel suo libro *Le Memorie della Casa Bianca* che aveva accettato d'incontrarmi per «vanità» cioè perché voleva essere incluso nel mio «Olimpo dei Potenti». E quella d'aver scritto, nel libro successivo, che con lui ero stata cattiva ma con Le Duc Tho ero stata buonissima. Coglione! Le Duc Tho io non l'ho mai intervistato. Non l'ho mai incontrato. Non l'ho nemmeno visto da lontano. Diciamolo chiaro e tondo, amica mia: quelli da prender sul serio noi due li abbiamo contati sulle dita di una mano. Khomeini, Deng Xiao Ping, Golda Meir, forse Indira Gandhi. E anche loro avevano vinto la lotteria.

Sospendo di nuovo il ruolo di ascoltatrice consenziente e le dico: io penso che la maggior colpa di Berlusconi sia stata quella di non aver saputo avviare, neanche tentar d'avviare, una classe dirigente in grado d'opporsi al dispotismo dell'egemonia culturale di Sinistra. Oltretutto, un'egemonia basata su vecchie ideologie. Su vecchie demagogie, vecchie retoriche. Su situazioni superate dal crollo del comunismo e dal sorgere d'un benessere mai visto. E di conseguenza un'egemonia logora, stantia, tenuta in piedi solo con l'ignoranza e la prepotenza.

Anche l'egemonia culturale della Chiesa Cattolica era logora e stantia quando a Firenze fiorì il Rinascimento. Eppure Savonarola teneva in pugno un mucchio di cittadini e grazie all'ignoranza, alla prepotenza, quell'egemonia durò per secoli. Resistette anche dopo l'avvento dell'Illuminismo, della Rivoluzione Francese, di Napoleone. Così le rispondo: anche se avesse avuto la stoffa cioè il tipo d'intelligenza che ci vuole per dare il via a un Rinascimento, anche se fosse stato Lorenzo il Magnifico e il suo denaro lo avesse speso per riempire Palazzo Chigi di Aristoteli e di Platoni, di Leonardi da Vinci e di Galilei, Berlusconi non sarebbe riuscito neanche a recuperare la Corea del Nord. Perché gliene sarebbe mancato il tempo. La Sinistra ci ha messo più d'un secolo a stabilire, grazie all'apparato chiesastico che lui non ha, la propria egemonia. E, per settantaquattr'anni, col formidabile mecenatismo dell'Unione Sovietica nonché con l'apporto di brillanti cervelli. Insieme all'assenza di brillanti cervelli, invece, Berlusconi non ha avuto che qualche anno. Partendo dal 1994 cioè dall'anno in cui andò per la prima volta al governo ma grazie al tradimento della Lega vi rimase solo nove mesi, dieci anni. Partendo dal 2001 cioè dall'anno in cui ha vinto di nuovo le elezioni, tre. Davvero pochi per fare ciò che Lei e non soltanto Lei gli rimprovera di non aver fatto. Inoltre Berlusconi è un liberale. Alla libertà, ne son certa, ci tiene davvero. Per crederci basta osservare la pazienza con cui sopporta le ostilità dei canali televisivi che gli appartengono. Unica eccezione, quello che gli è devoto al punto di ridicolizzarlo. E l'illiberalismo si combatte male con la pazienza che la libertà richiede.

Quanto crede che possa durare, Berlusconi?

Boh! Nella immutabile giungla della politica italiana Berlusconi è una parentesi assai bizzarra. E se questa parentesi si chiuderà tra un giorno o tra un mese o tra un anno o due anni o sette anni, io non lo so. Qualcosa di buono, in fondo, lo ha fatto. Non ha imitato il cinico populismo di Zapatero. In politica estera ha dimostrato d'aver più coraggio di quanto credessi quando lo accusai di non aver palle e gli buttai in faccia l'esempio di mia madre che fa a pezzi l'uomo dal quale s'è sentita dire Signora, domattina-alle-6-fucileremo-suo-marito. Ha anche frenato un po' le orde dell'avanzata islamica, ripeto. E dulcis in fundo: la libertà ce l'ha mantenuta. Però so che i Maramaldi in grado d'ucciderlo non sono i suoi sganghe-rati avversari. Sono i suoi insinceri alleati. Gli omìni che in piazza Montecitorio vanno a spasso con l'opposizione. Che per un pugno di voti si sono montati la testa e lo pugnalano coi ricatti.

Che per non tradirlo esigono nuove poltrone ministeriali. Lo uccideranno loro, sì. O lo manderanno a Sant'Elena. Poi celebreranno un Congresso di Vienna in sostanza simile a quello con cui nel 1815 Metternich effettuò la Restaurazione, e cadremo tutti dalla padella nella brace. Ma ora basta. Sono stanca, mi sento male. Dovevamo fare un'intervista e invece stiamo improvvisando un libro.

Infatti. Non se n'era accorta? Si rivolga ai suoi anticorpi, dunque, e mi consenta di spronarla ancora con qualche domanda. Questa, ad esempio. Le piace Bush?

Se il bombardamento di insulti e accuse e vituperi e maledizioni non si abbattesse su Bush come il Diluvio Universale, (un bombardamento a paragone del quale il crucifige di Berlusconi sembra una quisquilia), le risponderei con una battuta e basta: «No. Mi piace sua moglie». Il che è vero, by the way. Sua moglie mi piace, e parecchio, perché è la sosia di mia madre. Lo è a tal punto che quando la vedo in Tv faccio sempre uno scossone ed esclamo: «Che ci fai lì, mamma?!?». Secondo me Laura Bush è stata clonata con una cellula di mia madre prima che mia madre morisse. Stesso volto cioè stessa bocca, stesso naso, stesse guance, stessi occhi, stessi capelli. Stesso corpo cioè stessa altezza, stesso peso, stessi fianchi, stesse gambe. Stessa voce, stesso sorriso, stessa risata, stesso modo di muoversi e di vestire. Nonché stesso amore per la scuola. Laura Bush è una fiera maestra di scuola. Mia madre rimpiangeva sempre di non essere una maestra di scuola e avrebbe voluto che lo diventassi io. Ma quel bombardamento di insulti e accuse e vituperi me lo impedisce, me lo proibisce, e su Bush non dirò mai cose che possan servire a chi lo dipinge come un Anticristo. Non è un'aquila, ne convengo. In più non è molto simpatico, è antipatichino, e temo ignorantello. Infatti quando venne eletto presidente mi rallegrai soltanto perché avere lui alla Casa Bianca ci evitava quella patata lessa di Al Gore. Ma anche i leader non-leader europei, e in particolare italiani, non sono aquile. Spesso sono addirittura oche che servono a starnazzare e basta. La nostra è un'epoca priva di leadership, si sa. Se pensi che quell'ubriacone di Yeltzin è stato uno zar e che quel cafone nonché bacchettone di Walesa è stato un simbolo di Libertà, ti senti mancare il fiato. Eppure nella prima metà del Novecento la nostra epoca ha prodotto parecchi leader. Pensi a Lenin, a Stalin, a Hitler, ahimè. O a Churchill, a Roosevelt, a Mao Tse-tung, a Tito, al Mahatma Gandhi. Nella seconda, invece, soltanto tre: Wojtyla, Khomeini, e

Bin Laden. Quel che è peggio, partoriti non dal laicismo ma dalla religione. Questa religione di cui, a quanto pare, la maggior parte degli esseri umani non sa fare a meno. Che anche quando vanno sulla Luna o su Marte continuano a praticare. Questa religione alla quale bisogna rifarsi ogni volta che si parla di principii, valori, morale, pensiero. Sicché quando affermo d'essere atea devo chiarire che sono un'atea cristiana, difendere il cristianesimo...

Un momento. Fra i tre leader che la religione ha prodotto negli ultimi decenni ci mette anche Bin Laden?

Oh, sì. Certamente sì. Intendiamoci: la guerra che l'Islam conduce contro l'Occidente non è incominciata con lui. Da questa parte dell'Atlantico s'è annunciata cinquant'anni fa coi Fratelli Mussulmani, dall'altra quarant'anni fa coi Black Muslims, e nell'intero mondo è incominciata oltre vent'anni fa con Khomeini. Cioè con la defenestrazione dello scià Reza Pahlavi, l'islamizzazione dell'Iran, la cattura degli ostaggi americani a Teheran, e ciò che n'è conseguito. Senza Khomeini non ci sarebbe stato Bin Laden. Non ci sarebbe stato l'Undici Settembre ed oggi non ci sarebbe l'Eurabia. Ma l'eredità di Khomeini l'ha raccolta Bin Laden. E nessuno può negare che quel carnefice sia un autentico leader. Un genio del Male, sì, ma un capo indiscusso e indiscutibile: un Napoleone anzi il Napoleone dell'Islam. Lo è da ogni punto di vista. Ideologico, politico, religioso, militare, strategico. Lo è per la sua abnorme capacità di catalizzare l'odio dell'Islam verso l'Occidente. Lo è per la sua demoniaca abilità di materializzarlo, pianificarlo, reinventarlo ogni giorno con nuove scelleratezze. Lo è per la sua lugubre intelligenza, la sua macabra fantasia, la sua serietà. Lo è in tale misura che, al contrario di Wojtyla e del defunto Khomeini, per esserlo non ha bisogno di imbottire le piazze e mostrarsi tutti i giorni in Tv. La guerra che ufficialmente ha dichiarato l'Undici Settembre può guidarla anche cambiandosi i lineamenti, tacendo per mesi e mesi, nascondendosi nelle caverne. E pazienza se a suo vantaggio v'è quel che Khomeini non aveva: i nostri Internet, i nostri computer, i nostri telefonini, nonché i laureati che gli abbiamo istruito nelle nostre università. Cioè la nostra tecnologia e la nostra cretineria. Il nostro trionfo intellettuale e il nostro cancro morale. Insomma il nostro paradossale suicidio...

Curiosità umana e politica: le piacerebbe intervistare Bin Laden?

Sì. È l'unica persona al mondo per cui tradirei la mia promessa di non aver più nulla a che fare col giornalismo. E son certa che ne verrebbe fuori un incontro anzi uno scontro indimenticabile per me e per lui. Peccato che a lui piaccia, invece, l'idea di farmi ammazzare. Peccato che dietro le minacce di morte nelle quali vivo da tre anni vi sia il suo imprimatur. Mah! In questo senso era più intelligente Khomeini che da me si lasciò intervistare per ben sei ore e tuttavia non mi torse un capello. Si limitò a dire, povero vecchio, le cazzate che dopo l'intervista disse registrando il video di Qom: il video col quale mi accusava d'averlo accusato di tagliare i seni alle donne. Oppure quando, otto mesi dopo, tornai a Teheran per intervistare l'allora primo ministro Bani Sadr e appena scesa dall'aereo venni arrestata dai mujahiddin che mi rinchiusero in quello scatolone di cartapesta.

Eh, sì: ricordo. Bisognerebbe parlarne...

Non ne vale la pena. Noi due non abbiamo mai pubblicizzato le nostre disavventure professionali. Non siamo tipi come i tipi che fanno gli eroi o le eroine perché vanno in un paese dove c'è la guerra e pur stando sempre in albergo si beccano per caso un graffio. L'unica disavventura di cui abbiamo parlato è stata quella che ci capitò a Città del Messico dove ci bucarono di pallottole poi ci buttarono nella morgue. E anche allora parlai solo perché lo sapevan già tutti. Perché tutti avevano pubblicato la famosa fotografia dell'attimo in cui eravamo state colpite. Dal punto di vista dei mujahiddin, d'altronde, quell'arresto io lo capisco. Khomeini aveva detto a milioni di iraniani che ero cattiva, quindi non gli meritava che intervistassi anche Bani Sadr: sì o no? E poi rimane il fatto che lo scatolone di cartapesta lo sfondai in cinque minuti. Venni fuori bestemmiando come un caporale di giornata, brutti-stronzi-qui, brutti-stronzi-là, e per non diventar sordi dovettero accontentarsi di mettermi agli arresti domiciliari cioè in una camera dello Sheraton.

Torniamo a Bin Laden. E che cosa chiederebbe, a Bin Laden, se lo intervistasse?

La stupirò. Incomincerei interrogandolo sulla sua infanzia e la sua adolescenza. Sul fatto che suo padre fosse così ricco e così legato a re Faysal, tuttavia escluso dai fasti della Corte saudita. Sono assolutamente convinta che la chiave del personaggio stia lì: dentro la sua infanzia e la sua adolescenza. Dev'esser successo qualcosa, nella prima fase della sua vita, che ha dato fuoco alle polveri del suo orgoglio e della sua megalomania. Perché non credo che a muoverlo sia stata la molla della religione, della fede in Allah. È un tipo troppo intelligente. Sospetto la vera molla sia il suo bisogno di emergere come individuo. Proprio il caso di Napoleone e di tutti i grossi leader che la Storia dell'Uomo ci ha dato, escluso Gesù Cristo. Sa, per capire loro non basta l'epoca in cui vivono o le circostanze in cui si sviluppa la loro scalata al Potere: ci vuole la psicologia. Gli chiederei, ad esempio, del giorno in cui appena sedicenne si recò a palazzo reale per vedere il suo compagno di giochi cioè il suo amico principe. E poiché re Faysal era morto, non lo fecero entrare. Via-di-qui, via-di-qui, ora-che-Sua-Maestà-è-morto-tuo-padre-non-conta-più-nulla. Gli chiederei di sua madre che era siriana e credo seconda o terza moglie, e che per lui aveva grandi ambizioni. E poi gli chiederei di quando si vestiva all'europea, giacca e cravatta e camicie comprate in Bond Street, e frequentava i night-club. Beveva whisky e birra, se la faceva con le belle ragazze. Infine gli chiederei del suo aereo personale, un lussuosissimo jet per non so quanti passeggeri, il jet che usava per volare da Londra al Sudan quando aveva già fondato Al Qaida. Ma sa che Bin Laden io credo d'averlo visto, una volta?

Quando? Dove?

Negli Anni Ottanta, a Beirut. Quando a Beirut c'era Arafat che spadroneggiava nella zona Ovest e gli israeliani gli sparavano addosso dalla zona Est. Mi sbaglierò ma...

Quel giovanotto incredibilmente alto e dignitoso che vestito d'un candido djellaba camminava lentamente su e giù per il salone del grande albergo dove ci eravamo appena trasferite? Quello che due o tre volte girò intorno alla nostra poltrona guardandoci male, comunque con austera antipatia?

Proprio lui. Infatti noi pensammo: ma ce l'ha con noi, quello lì? Non ce l'avrà mica per via dell'intervista a Khomeini, perché ci ha riconosciuto grazie alla fotografia con Khomeini? Poi, in preda a uno strano disagio, ci alzammo e ci allontanammo.

Uhm... Ora che mi torna in mente, lo credo anch'io. Ma passiamo al terzo leader che la seconda parte del Novecento ha dato: Wojtyla.

Oddio, riecco Wojtyla. Di qualsiasi cosa si parli, si torna a Wojtyla... È proprio vero che tutte le strade conducono a Roma. No, Wojtyla no. Per lui non romperei la mia promessa. Del resto da me

Wojtyla non ha mai voluto farsi intervistare. Nemmeno per risarcirmi della sgarberia che nei miei confronti commise quand'era arcivescovo di Cracovia cioè quando sul suo mensile di Cracovia fece tradurre e pubblicare a puntate il mio libro *Lettera a un bambino mai nato*. Sicché gli scrissi che per tradurre e pubblicare un'opera altrui ci vuole l'autorizzazione dell'autore e ogni autore è protetto dal copyright, ma lui mi fece rispondere dal segretario che in Polonia il copyright non esisteva. Dico no perché, nel suo caso, l'intervista si trasformerebbe in un pianto. Uno sfogo. Verso l'Occidente egli s'è reso e si rende responsabile di troppi torti. Il torto di non pronunciare mai una parola contro i nostri nemici, anzitutto. Di non denunciare mai in modo chiaro ed inequivocabile le loro nequizie. Di non condannare nemmeno quelli che ci sgozzano o ci taglian la testa. Di non biasimare nemmeno quelli che tolgono il crocifisso dalle scuole o lo buttano dalle finestre degli ospedali. Insomma il torto di non difenderci e, in nome dell'ecumenismo, del Dio Unico, imitare lo sconcio silenzio dell'Onu. Contemporaneamente predicare l'accoglienza illimitata quindi facilitare il loro espansionismo, il loro colonialismo, il loro razzismo. Un razzismo che nessuno osa definire tale. Se l'Europa d'oggi è un'Eurabia, se l'avamposto dell'Eurabia è l'Italia, lo dobbiamo anche a Wojtyla. E alle sue Caritas, alle sue Comunità di Sant'Egidio, ai suoi prelati, i suoi preti, i suoi frati Comboniani: novelli giannizzeri con la tonaca e le sciarpe arcobaleno. È così che si difende il cristianesimo?!? Io atea cristiana rabbrividisco quando il cardinale Touran, ministro degli Esteri in Vaticano, commenta gli attentati contro quattro chiese cristiane di Bagdad dicendo: «Ho l'impressione che si tratti d'un ballon-d'essai, che masse ignoranti e manipolabili vengano spinte con la propaganda a considerare i cristiani come alleati d'un Occidente visto come un nemico». E neppure un accenno ai cristiani che perseguitati, inseguiti dal termine "porci", fuggono dall'Iraq o dalla Siria o dalla Giordania. (Nelle due settimane, ben quarantamila). Rabbrividisco quando, col consenso della Curia, al matrimonio d'una italiana cattolica e d'un turco mussulmano il parroco d'una cittadina piemontese autorizza un imam a usar l'altare della sua pieve per leggere il Corano. Sicché, letto il Corano, da quell'altare l'imam bercia le sue lodi a Maometto e i suoi «Allah akbar, Allah akbar». Oh, sì: sia pure inconsapevolmente Wojtyla ha fatto e fa un gran male all'Occidente. Al cristianesimo, a Gesù Cristo, alla Madonna che prega con tanto fervore. E non deve stupirsi se il collaborazionismo dell'Unione Europea emette una Costituzione dove le nostre radici cristiane vengono ignorate.

Eppure io so che in Wojtyla molte cose le apprezza.

Sì, apprezzo il grosso contributo che ha dato al crollo dell'Unione Sovietica. Apprezzo la sua ostinazione, una ostinazione che resiste perfino ai suoi errori. Apprezzo il fatto che alla sua età anzi nelle sue pessime condizioni di salute continui a lavorare con tanto accanimento. A scrivere, per esempio. Anche fisicamente, scrivere è un mestiere assai faticoso. Un mestiere che logora, che consuma. Lo è per me che sono più giovane e che alla mia malattia reagisco come le ho spiegato, figuriamoci per lui che ha ottantaquattr'anni compiuti ed un morbo che lo fa tremare come una foglia al vento... Sebbene pensi che il suo mostrarsi alle folle oceaniche denunci una certa nostalgia del potere temporale, apprezzo anche il fatto che continui a viaggiare. Infatti mi commossi parecchio quando a Lourdes stava per svenire e con un filo di voce chiese quel bicchier d'acqua. Lo sentii vicino, quasi fratello, e quel bicchier d'acqua avrei voluto porgerglielo io.

Io lo stesso. E chiarito il punto sui tre leader, ri- prendiamo il discorso su Bush. Quel Bush di cui le piace soltanto la moglie che assomiglia alla nostra mamma.

Bush non è un'aquila, stavo dicendo. Non è un vero leader. E non essendo né un'aquila né un vero leader, ancor prima dell'Iraq s'è tirato un mucchio di volte la zappa sui piedi. Per incominciare ha scelto, come Berlusconi, la gente sbagliata. Un mediocre Segretario di Stato cioè lo scialbo Powell. Un discutibile Segretario della Difesa cioè il tracotante Rumsfeld. Una scomoda Consigliera per la Sicurezza Nazionale cioè quella Condoleezza Rice che non è affatto sciocca, anzi è intelligentissima, però è impastata con la medesima pasta di Rumsfeld e questo può essere pericoloso. A ciò aggiunga un capo della Cia e un capo dell'Fbi da processare per inettitudine, incapacità. Tutti insieme costoro lo hanno portato in Iraq dove le armi chimiche e biologiche non sono riusciti a trovarle, probabilmente perché erano state subito nascoste in Siria o in qualche banca svizzera, e... Ma sull'odio che il repubblicano Bush ha calamitato con la guerra in Iraq io avrei da fare due osservazioni.

Le faccia, le faccia.

Osservazione Numero Uno: i parolai della Sinistra italiana anzi europea che linciano Bush per la guerra in Iraq dimenticano, o fingono di dimenticare, che a condurre la guerra in Vietnam furono due presidenti democratici. La guerra in Vietnam fu avviata dall'osannatissimo John Kennedy, non dai repubblicani. Fu portata avanti dal democratico Lyndon Johnson che dall'osannatissimo John Kennedy l'aveva ereditata. E fu conclusa da Nixon che era repubblicano. Osservazione Numero Due: quando i parolai del partito democratico americano attaccano Bush per la guerra in Iraq dimenticano, o fingono di dimenticare, che ad essa dettero il loro pieno consenso. Questo incominciando dallo smemorato John Kerry al quale la Sinistra europea anzi italiana fa le reverenze, per il quale i Fassino e i Rutelli in cerca di credibilità vanno alla Convention di Boston e dicono inaccettabili bischerate. Quel John Kerry che la guerra in Vietnam la approvava quanto avrebbe approvato la guerra in Iraq. Che alla guerra in Vietnam ricevette ben tre medagliucce cioè tre Purple Hearts e che oggi si presenta alla folla della Convention dicendo come un Marine: «John Forbes Kerry a rapporto». Poi facendo un ridicolo saluto militare. In entrambi i casi, dunque, quei parolai dovrebbero tenere il becco chiuso ossia mostrare un po' di pudore. E con ciò torniamo davvero a Bush. No, neanche dopo l'Undici Settembre Bush ha brillato. Sì, sull'Iraq è scivolato. Ma qualche merito ce l'ha ugualmente. Quello d'essere un uomo abbastanza coraggioso, per incominciare, e d'aver fatto qualcosa per combattere un terrorismo che non si combatte coi baci e gli abbracci ossia i volemose-bene di Wojtyla. Quello d'essere un uomo coerente cioè un tipo che tiene fede alle sue scelte e non si lascia intimidire dai ricatti o dalle minacce. E, checché ne dicano i registi cialtroni di Hollywood, quello d'essere una persona rispettabile. Anche nella sua vita privata. Io non so immaginare Bush che ridicolizza la Casa Bianca come Clinton fece all'epoca del suo squallido e super-pubblicizzato adulterio con la cicciona. Non so immaginare Bush che incorna Laura nella Stanza Ovale cioè la stanza dove i presidenti degli Stati Uniti decidono i destini del proprio paese anzi del mondo e non di rado mandano la gente a morire. Non so immaginare Bush mentre in quel sacro luogo si sbottona i pantaloni per fare i suoi comodi con la cicciona poi punta l'indice verso le macchine da presa e guardandoti negli occhi tuona: «Io quella donna non la conosco». E a mio avviso certe cose contano. Eccome se contano.

E di Kerry che cosa pensa, oltre a ciò che ha già detto?

Quel che posso pensare d'un possibile presidente che non ha niente da offrire fuorché un nome con le stesse iniziali di John Fitzgerald Kennedy: JFK. E che per questo è stato inventato, mecenatizzato, imposto dal peggior uomo politico che l'America abbia prodotto negli ultimi trent'anni: Ted Kennedy. Il Kennedy di Chappaquiddick cioè la baia dove cadde con l'automobile e dove tornando a galla, scappando per evitar lo scandalo, lasciò affogare la giovane segretaria con cui si trovava al momento dell'incidente. Kerry è un piccolo opportunista, un voltagabbana, nient'altro. Per dimostrarlo basta ricordare che dopo aver intascato le tre medagliucce e accettato di recitare il ruolo dell'eroe (ruolo ora smentito da molti veterani che erano con lui in Vietnam) si presentò a *Meet the Press*, il programma televisivo della Nbc, e facendo il superpentito disse: «In Vietnam ho commesso atrocità d'ogni tipo. Ho bruciato villaggi, condotto missioni Cerca-e-Distruggi, ho violato tutte le convenzioni di Ginevra. Ho offeso gli stessi principii per cui fu celebrato il Processo di Norimberga». Però le tre medagliucce, le tre Purple Hearts, non le restituì. Ed oggi le usa per posare a eroe. È anche un uomo molto insicuro, molto indeciso. Un piccolo Carlo Alberto del Colorado. E un presidente degli Stati Uniti non può permettersi d'essere un piccolo Carlo Alberto del Colorado: deve essere almeno un tipo come Bush. Infine è un chiacchierone senza la minima idea di ciò che potrebbe fare per estrarre l'America dal pantano dell'Iraq. Sull'Iraq dice soltanto: «Dovremo starci almeno fino al 2006». Oh, l'ho guardato bene, lo scorso inverno, durante la campagna per le primarie. E l'ho guardato ancor meglio durante la Convention dove, dopo quel ridicolo saluto militare, ha fatto un discorso semplicemente penoso. In barba alla vecchia sceneggiata di super-pentito ha detto che vuole un esercito più forte e che se diventa presidente lo aumenterà di quarantamila soldati. Ha detto che non rinuncerà mai all'uso della forza, che il suo primo grazie andrà ai militari. E sul possibile o impossibile modo d'estrarre l'America dal pantano dell'Iraq ha taciuto di nuovo. Di nuovo! Anche nel suo caso, se vince, cadremo dalla padella nella brace. Magari con molti rimpianti per Clinton.

Per Clinton? Poco fa si è espressa con molta durezza nei riguardi di Clinton.

Infatti. Non mi piace Clinton. Non mi è mai piaciuto. Né come uomo né come presidente. Non mi piace il suo nasone sempre rosso come il nasone del signor Bronlow nel romanzo di Dickens, *Oliver Twist*. Non mi piace il suo sorrisino a presa di bavero, non mi piace il suo vezzo populista di suonare in pubblico la tromba, non mi piace la sua sicumera anzi la sua spavalderia. E non mi piace il modo in cui ha condotto il suo doppio mandato presidenziale. Per incominciare, la pesantissima responsabilità che su di lui grava per l'Undici Settembre. Ma soprattutto non mi piace il comportamento che come uomo e come presidente tenne nel suo romanzetto con la cicciona. Quando puntò l'indice contro la macchina da presa e fissandoci negli occhi disse Io-quella-donna-non-la-conosco, mi indignai davvero e urlai: «Ma che sei?!?». Se avesse detto «Signore e signori, la mia cicciona non vi riguarda, questo è un problema tra Hillary e me» lo avrei applaudito. O meglio: gli avrei rimproverato l'uso della Stanza Ovale e basta. La sua vita privata non ci appartiene, e un presidente può essere un buon presidente anche se tradisce la moglie. Tanti presidenti sono stati inguaribili donnaioli. In testa a tutti John Kennedy che Jacqueline la tradiva con qualsiasi sottana incontrasse, e che anche con Marilyn Monroe si comportò proprio male. La usò come una call-girl poi la passò al fratello Bob, e la poverina finì col suicidarsi. Esistono dozzine di libri e migliaia di articoli su questa brutta faccenda, no? Ma anziché dire quello che avrebbe dovuto dire, Clinton disse quello che disse. Io non capirò mai perché, dopo, gli americani lo votarono di nuovo. Comunque la cosa davvero grave non è questa. È la responsabilità di cui ho parlato prima. Perdio, Clinton sapeva benissimo chi fosse Bin Laden. Sapeva benissimo che dietro le stragi di Nairobi e di Dar es-Salaam c'era Bin Laden. Sapeva benissimo che a non fermarlo subito si sarebbe giunti alla guerra. E a quel tempo Bin Laden non si nascondeva nelle caverne. Passava di paese in paese, era un obbiettivo facile. Eppure non lo fermò. A parte un paio di stupide e inutili incursioni aeree cioè a parte i due o tre missili che gettò su obbiettivi sbagliati, (uno su una fabbrica di medicinali appartenente a un brav'uomo che gli fece causa per danni), non mosse un dito. Continuò a sprecar tempo nelle sue esuberanze sessuali, e Bin Laden andò avanti indisturbato per la sua strada. Sotto il nasone rosso gli preparò l'Undici Settembre. Il tipico caso del politicastro che pensa solo alla scadenza del suo mandato. «Après moi le déluge». Dopo-di-me-il-diluvio. No, secondo me Bill Clinton non è stato un buon presidente. Non passerà alla Storia come un buon presidente. Ma ora basta. Mi mette a disagio infierire su Clinton.

Perché?

Perché ho saputo che nei miei riguardi è assai più generoso di quanto io lo sia nei suoi.

Chi lo dice?

Le sorelle Naomi e Adina e Judy Cohen, le tre proprietarie dell'Argosy Bookstore. La libreria antiquaria dove a New York vado ogni volta che ho voglia di fare due passi e tuffarmi in quei polverosi volumi che per me sono un oceano di delizie... Shakespeare superbamente illustrati, Aristoteli col testo greco e il testo latino a fronte, Trattati di Medicina con le ricette del Seicento... Ecco la storia. Forse perché la mia passione pei libri antichi mi costa un mucchio di soldi e quei soldi finiscono in gran parte nelle loro tasche, Naomi e Adina e Judy mi vogliono molto bene. E per dimostrarmi quanto mi vogliono bene, nel negozio tengono anche i miei libri. Li tengono nel salone centrale anzi vicino all'ingresso, proprio come se si trattasse di roba pubblicata secoli addietro, e scortato da una ventina di guardie del corpo un anno fa lì capitò Bill Clinton. Entrò, vide *La Rabbia e l'Orgoglio* che era appena uscito in inglese, sorpreso disse: «Look at that, guarda! Avete anche *The Rage and the Pride*! Hillary lo adora. Ne parla sempre, lo condivide da cima a fondo». «E Lei, signor Presidente?» chiese Naomi che è la più disinvolta. «Eh! La Fallaci scrive di non avere mai avuto tenerezze per me... Ma su tante altre cose ha ragione» rispose Clinton. Poi, tutto divertito: «È vero che è una donna molto dura, che ha un gran caratteraccio?». Pensando alla mia incapacità di mercanteggiare il prezzo degli Shakespeare e degli Aristoteli, suppongo, Naomi replicò che no: ero la donna più dolce, più mansueta del mondo.

Ma lui non ci credette, e disse che la gente col mio caratteraccio gli piaceva parecchio. Anche se parlava male di Clinton.

E di Hillary come ne parla?

Prima neanche lei m'era molto simpatica. Ma da quando so che è d'accordo con me, che sia pure in segreto le mie idee sull'Islam le condivide da-cima-a-fondo, spero che diventi almeno presidente degli Stati Uniti. E con molte probabilità lo diventerà. È ora che in quella Stanza Ovale ci vada una donna.

Sull'Iraq che cosa mi dice?

Le dico ciò che scrissi ne *La Forza della Ragione* e, prima ancora, nell'articolo che la vigilia della guerra pubblicai sullo *Wall Street Journal* per esprimere i miei dubbi sull'opportunità di farla. L'articolo in cui spiegavo perché gli iracheni io li avrei lasciati bollire nel loro brodo cioè il brodo di Saddam Hussein. Intendiamoci: a me fa piacere che Saddam Hussein sia stato tolto di mezzo. E sebbene i processi di Norimberga mi incutano un profondo malessere, un disagio che dura dai tempi in cui nei loro cortei trionfali gli Antichi Romani si portavano dietro gli sconfitti in catene, non piangerò quando verrà condannato. Tutt'al più borbotterò: «La fortuna gli aveva proprio voltato le spalle. Sai quanti Saddam Hussein si sono spenti e si spengono nel loro letto?». Ma il prezzo per toglierlo di mezzo è stato troppo alto. Il terrorismo islamico s'è moltiplicato, i morti hanno partorito altri morti, continuano a partorire morti, partoriranno sempre più morti. E, come profetizzai in quell'articolo, prima o poi ci ritroveremo con una Repubblica Islamica dell'Iraq. Ossia con un paese nel quale i mullah e gli imam impongono i burkah, lapidano le donne che vanno dal parrucchiere, impiccano la gente allo stadio. Quindi tanto valeva tenersi Saddam Hussein. Guardi, io non mi stancherò mai di ripeterlo: la democrazia non si può regalare come una stecca di cioccolata. La democrazia bisogna conquistarsela. Per conquistarsela bisogna volerla. Per volerla bisogna sapere cos'è. Gli iracheni non lo sanno. Ancor meno la capiscono. E di conseguenza non la vogliono. Non tanto perché sono diseducati da ventiquattr'anni di dittatura feroce quanto perché sono mussulmani: assimilati dalla teocrazia e incapaci di scegliere il proprio destino. La teocrazia non insegna a ragionare, a scegliere, a decidere il proprio destino. Insegna a subire ubbidire servire un Dio che è un padrone assoluto, un sovrano che controlla ogni momento e ogni aspetto della tua vita, un tiranno peggiore di Saddam

Hussein. Forse tra un secolo o due questo cambierà. Ormai il mondo si evolve alla svelta. Ma oggi come oggi la realtà è quella, e non ammetterlo è pura demagogia. Ieri ho visto un documentario dove una donna colta e intelligente, una architetta di Bagdad, indossava gli abiti imposti dal Corano e diceva: «I hope so much that we will reach democracy. Islamic style, of course. Spero tanto che si arrivi alla democrazia. Stile islamico, beninteso». *Stile islamico*. Cioè regolata dai mullah, dagli imam, dalle leggi di Maometto, dal Dio padrone assoluto. Illudersi che quelle elezioni possano cambiare le cose è una scemenza.

Scemenza?!?

Scemenza. Lo dimostrano le folle che nelle strade di Bagdad esultano a guardare il cadavere straziato, mutilato, dell'americano in uniforme. «Watahya, evviva, Watahya!». Lo dimostrano i «guerriglieri» che ogni giorno ammazzano un ministro o un primo ministro del governo provvisorio e massacrano le reclute a centinaia. Lo dimostrano i barbari che in nome di Allah Misericordioso decapitano gli ostaggi, e a proposito: è riuscita a guardare il video che mostra la decapitazione di Paul Johnson, l'ingegnere americano rapito il giugno scorso? Io no. Però me lo sono fatto raccontare da uno che l'ha visto e... Bè, Johnson è sdraiato su un divano coperto da un lenzuolo. E piange. Indossa la tuta rossa che ora mettono agli ostaggi condannati a morte, ha le braccia legate con una corda, e piange. Piangendo mugola qualcosa che non si capisce. Forse chiede pietà. Il boia invece indossa un càmice bianco, da medico o da infermiere. E poiché è ripreso di spalle cioè in modo da renderlo irriconoscibile, di lui si vede soltanto la mano destra che stringe un coltello a sega lungo una trentina di centimetri e la mano sinistra al cui polso c'è un bellissimo orologio d'oro. Con passo tranquillo s'avvicina a Johnson che continua a piangere. Con la mano sinistra e impreziosita dal bellissimo orologio d'oro gli afferra il faccione bagnato di lacrime. Con la mano destra gli appoggia il coltello alla base del collo, e incomincia a segare. Lentamente, accuratamente. Senza fretta. E senza curarsi delle urla che presto diventano rantoli, poi gorgoglii, infine si spengono. Intanto nella stanza un disco diffonde una dolcissima nenia. La voce d'una donna che canta: «Fateli esplodere, fateli esplodere! Uccideteli ovunque siano! Distruggeteli!». Quanto alla testa di Johnson, la povera testa che sulle fotografie dei giornali era posata sul suo stomaco, sa dove l'hanno ritrovata? Nel freezer della casa d'un capo di Al Qaida arrestato a Riad. Se l'era presa lui. La teneva come trofeo.

Perché m'ha raccontato questa mostruosità e con tanta dovizia di particolari, perché?

Per inorridirla. Per spaventarla, per indignarla. Ed anche per farle capire perché li odio nella stessa misura in cui loro odiano me. Ah! Mi fanno ridere i parolai che declamano: «Il terrorismo non si combatte con le armi».

Ma Lei stessa ha scritto che questa guerra è una guerra culturale non militare...

L'ho scritto a proposito della strisciante cioè apparentemente pacifica invasione con cui stanno soggiogando l'Europa, perbacco! L'ho scritto a proposito del loro moltiplicarsi attraverso gli sbarchi e la Politica-del-Ventre. L'ho scritto a proposito della prepotenza con cui impongono i loro costumi, ad esempio facendoci bandire il maiale dalle nostre mense o proibendo ai nostri bambini d'offrire ai loro bambini le frittelle di riso al marsala! Non l'ho scritto a proposito del loro terrorismo! Come vorrebbe combattere il loro terrorismo cioè un terrorismo che ci sgozza, ci taglia la testa, ci fa saltare in aria a centinaia anzi a migliaia per volta? Davvero coi baci e gli abbracci, il perdono, i volemose-bene di Papa Wojtyla? È proibito anche difendersi da chi ammazza, ora?!?

*D'accordo. E dimentichiamo quel coltello a sega,
quella testa nel freezer, parlando dell'Europa.*

Che Europa? L'Europa non c'è più. C'è l'Eurabia.
Che cosa intende per Europa? Una cosiddetta
Unione Europea che nella sua ridicola e truffaldi-
na Costituzione accantona quindi nega le nostre
radici cristiane, la nostra essenza? L'Unione Europea è solo il club finanziario che dico io. Un club
voluto dagli eterni padroni di questo continente
cioè dalla Francia e dalla Germania. È una bugia
per tenere in piedi il fottutissimo euro e sostenere
l'antiamericanismo, l'odio per l'Occidente. È una
scusa per pagare stipendi sfacciati ed esenti da tasse agli europarlamentari che come i funzionari della Commissione Europea se la spassano a Bruxel-
les. È un trucco per ficcare il naso nelle nostre tasche e introdurre cibi geneticamente modificati nel
nostro organismo. Carne che non è più carne, pesce che non è più pesce, verdura che non è più verdura, parmigiano che non è più parmigiano, latte
che non è più latte, vino che non è più vino. Sicché
oltre a crescere ignorando il sapore della Verità le
nuove generazioni crescono senza conoscere il sapore del buon nutrimento. E insieme al cancro del-
l'anima si beccano il cancro del corpo. Ma soprattutto è uno strumento per infilare sempre più invasori nel nostro territorio, poi consentirgli di circo-

lare senza intoppi a casa nostra. Pensi alla storia della Cap Anamur, la nave tedesca insinuatasi nelle nostre acque con l'intento di procurare l'asilo politico a trentasette sudanesi che non erano sudanesi ossia infelici in fuga dal lercio regime schiavista di Khartum bensì furboni provenienti dal Ghana e dalla Nigeria. Bloccata dalla Guardia Costiera la nave resta al largo per tre settimane durante le quali Roberto Castelli, il ministro della Giustizia, dice alla Germania: «Noi che c'entriamo? Stanno in acque internazionali. Sono a bordo d'una imbarcazione tedesca con equipaggio e comandante tedesco. Quindi l'asilo politico l'hanno chiesto a voi. Dateglielo voi». Ma la Germania, quella Germania che non volle prendersi il curdo Ocalan su cui pesava un mandato di cattura tedesco, risponde: nograzie. E mentre i collaborazionisti italiani esaltano il comandante che è un arcobalenista dedito all'immigrazione clandestina quindi un negriero che prima di imbarcare i furboni s'è fatto pagare mille dollari a testa, mentre sui trentasette furboni i giornalisti strappalacrime scrivono articoletti «umanitari», il ministro Pisanu cede. Li fa arrivare a Porto Empedocle, li fa sbarcare, li sistema nel Centro Accoglienza di Agrigento. Salvo poi scandire, esasperato o pentito, due opportunissimi versi di Montale: «Questa ondata di carità che si abbatte su di noi è un'ultima impostura».

Vedo che ci crede sempre meno all'Europa...

Ci credevo quand'era ancora Europa, quando non era ancora Eurabia. Ci credevo fin da bambina, mioddio. Non per nulla sono cresciuta nei principii del federalismo europeo. Ci credevo tanto che se in America un tassista mi chiedeva quale fosse la mia nazionalità gli rispondevo: «europea». Non dicevo: «italiana». Dicevo: «europea». Ora dico «italiana» e basta. Non voglio neanche un legame verbale con la Bugia. Oltretutto una bugia che non durerà. Perché (lo dico già ne *La Rabbia e l'Orgoglio* ma lo ribadisco qui per vedere se entra nella zucca di quelli che fanno i sordi) le nazioni non possono abolire la propria lingua, il proprio passato, il proprio orgoglio, le proprie leggi, le proprie abitudini, la propria Patria, per diventar tasselli d'una Super-Patria. D'una Super-Nazione, d'un Super-Stato nel quale si parlano una quarantina di lingue ma conta solo il francese e il tedesco e l'arabo. Prima o poi chi non sopporta il francese e il tedesco e l'arabo si ribellerà. Lo dimostra anche il fatto che alle elezioni europee molti paesi non hanno praticamente votato... Cara amica, non durerà. Prima o poi si sfascerà. E poiché non sarò più a questo mondo mi mangerò le mani per la stizza di non poter mugugnare: «Ve l'avevo detto, io. Ve l'avevo detto».

Tanto più che l'impossibile Super-Stato, l'impossibile Super-Nazione, l'impossibile Super-Patria, a qualcosa avrebbe potuto servire: a non farci più le guerre, a non ammazzarci fra noi...

Oh, ci penseranno gli altri ad annullare quell'unico vantaggio. Che Super-Patria è una patria che non ha nemmeno un esercito per difendersi? Vorrei sapere chi lo respingerà, stavolta, Solimano il Magnifico o Kara Mustafa.

Bè, a questo punto diventa arduo portare il discorso sull'Onu.

L'Onu? Che Onu?!? L'Onu è la summa di tutte le ipocrisie, il concentrato di tutte le falsità. È una banda di mangia-a-ufo che a New York si permettono ogni infrazione legale in quanto posseggono l'immunità diplomatica. È una mafia di sottosviluppati e di imbroglioni che ci menano per il naso. Basti pensare che ai figli di Allah l'Onu ha consentito di non firmare la Carta dei Diritti Umani e di sostituirla con la «Carta dei Diritti Umani in Islam». Vale a dire l'elenco degli orrori autorizzati o predicati dal Corano. La Democracy-Islamic-style... Gli Human-Rights-Islamic-style... Che Onu?!? L'Onu che tra i suoi Segretari Generali, tutti o quasi tutti buoni a nulla, ha avuto Kurt Waldheim cioè un tipo su cui ancor oggi pesa l'accusa d'aver partecipato come ufficiale della Wehrmacht agli arresti degli ebrei? Un tipo che durante il suo doppio mandato non ha mai perso l'occasione per punire Israele e favoreggiare spudoratamente gli arabi? Bisogna essere proprio in malafede per miagolare «Rivolgiamoci-all'Onu, in-Iraq-mandiamoci-le-truppe-dell'Onu». Che cosa ha mai fatto, l'Onu, fuorché sprecare migliaia di miliardi e vivere di rendita sulle parole Pace ed Umanitarismo? Ha mai mosso un dito, l'Onu, per chiudere i gulag e difendere le vittime di Stalin? Ha mai aperto bocca per frenare la spietata dittatura di Mao Tsetung, per condannare i maoisti che distruggevano i millenari templi di Lhasa e massacravano i monaci buddisti nonché i contadini del Tibet? Ha mai fermato il genocidio compiuto in Cambogia dagli Khmer Rouges di Pol Pot? Ha mai tirato le orecchie al cannibale Bokassa che quand'era presidente della Repubblica Centrafricana cucinava i suoi avversari, li mangiava cotti in salmì? Ha mai messo al bando il regime schiavista dell'ultra-islamico Sudan? Ha mai criticato i Talebani dell'Afghanistan? Trent'anni fa le sue truppe non riuscirono neanche a difendere i greci della piccola Cipro, a fermare gli stupri che i soldati turchi commettevano sulle donne e sulle vecchie e sui bambini di Cipro. Ed ora non vogliono nemmeno fermare il genocidio che i Janjaweed cioè i Diavoli a Cavallo, le milizie filoarabe e mussulmane dell'ultra-mussulmano Sudan, stanno commettendo sui cristiani neri del Darfur.

Già: il Darfur... L'Onu era così occupata ad esser gentile con l'Islam che non ha avuto tempo per occuparsi del Darfur.

Perdio, in meno di due anni ben cinquantamila neri in massima parte cristiani sono stati massacrati nel Darfur. Quasi centomila sono finiti nell'orrendo campo profughi di Kalma. Circa duecentomila sono scappati nell'attiguo Ciad che esasperato ha chiuso le frontiere. E più d'un milione si sono rifugiati nelle altre zone del Sudan che non li vuole, non tollera chi prega Gesù Cristo, o Buddha o Geova o la dea Visnù. Arrivano a cavallo o a dorso di cammello, i Janjaweed, e appena arrivati uccidono chi c'è. Uomini, donne, vecchi, neonati, capre, maiali. Risparmiano solo le ragazzine da stuprare o da portar via per venderle ai mercati delle schiave come usavano fare all'epoca dei mammali-turchi. Poi per impedire che qualche superstite torni e ricostruisca il villaggio, bruciano le capanne. Distruggono i campi, avvelenano i pozzi d'acqua, e i ribelli del Sudan Liberation Army non servono a nulla. Bè, lo sanno tutti che si tratta di pulizia etnica, di genocidio. Ma l'Onu non parla mai di pulizia etnica, di genocidio. Se lo facesse, dovrebbe applicare il suo Statuto. Mandare le sue truppe, difendere quei cristiani. E ciò offenderebbe i mussulmani. Così Kofi Annan si limita a blaterare Khartum-cessi-il-fuoco, Khartum-ponga-fine-alle-violenze, oppure a mandare i funzionari che distribuiscono ai profughi un po' di cibo fornito (al solito) dagli americani. Del resto neanche l'Unione Europea dice che si tratta di genocidio. Le sue mortadelle sostengono che si tratta d'una «situazione complessa», d'una «guerra civile», d'una «crisi umanitaria». E tra i suoi arcobalenisti, i suoi pacifisti, non c'è un cane che improvvisi una berciata o una fiaccolata per i neri del Darfur. Quanto al ruolo che l'Onu può o non può coprire in Iraq, Cristo! Per mesi e mesi i nostri parolai di Destra e di Sinistra hanno recitato la commedia del rivolgiamoci-all'Onu, in-Iraq-mandiamoci-le-truppe-dell'Onu. E la risposta di Kofi Annan è stata: «Spiacente ma non ce le mando. Troppo pericoloso».

Parliamo di Kofi Annan.

Non mi è simpatico Kofi Annan. Non mi piace Kofi Annan. Kofi Annan non è quello che sembra. Cioè un bonario monarca con la cravatta, un imparziale nobiluomo africano, un anti-Waldheim. All'inizio aveva sollevato in me qualche speranza, e di lui apprezzavo anche gli aspetti esteriori. La sua eleganza, la sua ricercatezza verbale, la sua signorilità. La sua voce fonda e suasiva, il suo mite strabismo di Venere. Ma poi lo osservai meglio, lo ascoltai meglio, e m'accorsi che nel suo mite strabismo di Venere c'era qualcosa di ambiguo. Qualcosa di insincero, di infido. E ora capisco perché Blair controllasse le sue telefonate. Da che parte guarda, Kofi Annan, mentre con l'occhio destro fissa un punto e con l'occhio sinistro ne fissa un altro? Non certo dalla parte dell'Occidente, sebbene appartenga a una chiesa evangelica e abbia studiato nel Minnesota poi a Ginevra poi a Boston: le sue prese di posizione sono sempre a favore dell'Islam. Come Kurt Waldheim trova sempre il modo di dar torto agli occidentali e ragione ai loro nemici. È anche lui un discepolo di Sigrid Hunke? Mah! Forse è soltanto un freddo calcolatore che obbedisce a un'Assemblea Generale dominata dai paesi del Terzo Mondo cioè dai mussulmani più biliosi e impreparati. O forse è semplicemente un antiamericano che merita il Premio Nobel ormai riservato agli antiamericani e basta. Perbacco, in modo chiaro e inequivocabile l'Onu non s'è mai pronunciata contro i rapimenti e gli assassinii compiuti dai terroristi islamici. Mai. E il signor Kofi

Annan, idem. L'Assemblea Generale non ha mai messo all'indice Bin Laden e i suoi mozzatori di teste. Mai. E il signor Kofi Annan, idem. Il signor Kofi Annan non ha mai indotto i paesi del Terzo Mondo a votare contro le stragi che i kamikaze di Hamas compiono in Israele. Mai. Anzi lascia che i paesi del Terzo Mondo votino per conto di Nasser Al-Kidwa, l'osservatore palestinese. E questo senza contare i tredici funzionari dell'Onu che negli ultimi quattro anni cioè nel corso della nuova Intifada sono stati arrestati dalle autorità israeliane come complici di Hamas. Non ultimo il caso dell'ambulanza Onu che un aereo-spia israeliano ha ripreso mentre a Gaza caricava, anziché un ferito in barella, un lanciamissili Qassam. O il caso del danese Peter Hansen, direttore generale dell'Unrwa cioè dell'associazione umanitaria dipendente dall'Onu, che di recente ha ammesso di stipendiare seguaci di Hamas. Devo ripetere anche questo? Ovunque vi sia antiamericanismo v'è antioccidentalismo. Ovunque vi sia antioccidentalismo, v'è filoislamismo. E ovunque vi sia filoislamismo v'è antisemitismo. Infatti l'Onu non ha mai condannato l'antisemitismo che appesta l'Europa. Nel 1975 dichiarò in compenso che il sionismo è razzismo e lo scorso luglio ha votato contro il Muro Antikamikaze che Sharon sta costruendo al confine coi territori palestinesi. Lo ha dichiarato illegale, ha chiesto che venisse abbattuto, che i palestinesi fossero risarciti dei danni. E il signor Kofi Annan ha commentato il tutto con queste parole: «Il nostro voto non può essere ignorato. Il nostro voto ha un grande valore morale».

Contro il Muro ha votato anche l'Unione Europea...

Ovvio. Che cosa si aspettava da un'Eurabia che sostiene Arafat come un Giuseppe Garibaldi o un George Washington e che lo finanzia quasi più dell'Arabia Saudita o degli Emirati?!? Che cosa si aspettava da un'Eurabia nella quale il presidente della Commissione Europea cioè il nostro Mortadella fece quella figuraccia condita di antisemitismo? Che cosa si aspettava da un'Eurabia che ospita e protegge i terroristi di Al Qaida e di Hamas, che si fa condurre per mano dalla Francia e dalla Germania? Una Germania dove Hitler era alleato con lo zio di Arafat cioè col Gran Muftì di Gerusalemme e che con lui aveva fondato le «SS Islamiche». Una Germania dove *Il Sole di Allah brilla sull'Occidente* è ancora un best-seller. Una Germania dove nel 1983 il ministro degli Esteri Hans-Dietrich Genscher inaugurò il Simposio di Amburgo definendo l'Islam «Faro di Luce. Luce che per secoli ha illuminato l'Europa, ha aiutato l'Europa a uscire dalla barbarie». Una Francia dove all'ultima Manifestazione per la Pace, manifestazione cui partecipavano tutti gli esponenti della intellighenzia francese di Sinistra, i pacifisti col kaffiah sono usciti dal corteo e hanno pestato a sangue cinque giovani ebrei col kippah. Cinque studenti che camminavano buoni buoni lungo il marciapiede. Una Francia dove, nella sola Parigi, dal 2001 al 2003 sono avvenuti ben cinquecentocinquantaquattro episodi di violenza antisemita. Dove il Rapporto Wiesenthal, consegnato dal rabbino di Parigi nelle mani di Chirac, parla di ben ventinove sinagoghe bruciate nel corso d'un anno. Di cimiteri profanati con le svastiche sulle lapidi. Di botteghe appartenenti a ebrei boicottate fino al fallimento. Di pestaggi e aggressioni verbali come: «A me dispiace soltanto che Hitler non abbia potuto finire il suo lavoro». Sicché Sharon dice agli ebrei che vivono in Francia: «Venite a vivere in Israele». E Chirac risponde: «Monsieur Sharon n'est pas bienvenu en France. Il signor Sharon non è benvenuto in Francia».

Torniamo al Muro. Lo ha dichiarato illegale anche la Corte Internazionale dell'Aja.

Certo. Per muoversi e avere la complicità dell'Eurabia, l'Onu aveva bisogno di quella sentenza. E lo scorso 18 dicembre Kofi Annan sollecitò la Corte dell'Aja ad esprimere-il-proprio-parere prima-che-l'Assemblea-Generale-votasse. Giudici di Sinistra cioè filopalestinesi a parte, s'è trattato d'una operazione ben concertata. E la Corte dell'Aja ha emesso un verdetto ingiusto. Un verdetto degno di Chamberlain e Daladier al Patto di Monaco. Penso che, votando come ha votato, l'Unione Europea si sia comportata come l'Europa del 1938. E che se ne debba vergognare. Penso che ordendo questo inciucio l'Onu abbia commesso una sudiceria. Penso che Simon Wiesenthal abbia fatto una cosa sacrosanta sfidando l'Assemblea Generale a pronunciarsi finalmente contro le stragi del terrorismo islamico, a etichettarle come «Crimini contro l'Umanità». E ha tutto il mio appoggio. Penso che, incominciando da Israele dove i sudditi di Arafat massacrano la gente con coscienziosa quotidianità, uno Stato abbia il dovere di proteggere i suoi cittadini. La Grande Muraglia Cinese venne costruita per questo. Penso che a casa propria ciascuno abbia il diritto di costruire tutti i muri che vuole. Specialmente se servono a bloccare i kamikaze. Per difendermi dai ladri e dagli assassini io chiudo porte e finestre, metto cancelli e chiavistelli. E se qualcuno me lo impedisce, prendo il fucile da caccia. Se qualcuno entra per rubare o ammazzarmi, lo stesso. E poi penso che nei tratti dove il Muro scon-

fina anche per pochi metri in territorio non israeliano, Sharon debba disfarlo e rifarlo ossia restituire la terra che non gli appartiene. Magari chie-
dendo scusa. In campagna, quando un vicino mi
ruba mezzo metro di terra, io lo denuncio. Quindi esigo le sue scuse. Ma soprattutto penso che
col loro inciucio l'Unione Europea e la Corte del-
l'Aja e l'Onu di Kofi Annan abbiano fatto un altro regalo ad Arafat.

*Oddio. So che a far questo nome Lei perde le staffe
più di quanto le perda a parlar di Gheddafi o di Castro o dei comunisti che si appropriano della Resistenza...*

Le perdo, sì, le perdo. Ogni volta. Quel burattino
dagli occhi acquosi e l'anima nera come la pece!
Quell'ignorante, quel rimbambito, quel despota
avido e corrotto che su di loro regna come un ca-
po-mafia anzi come un re con la corona in testa e
che a dirigere la polizia (una polizia non-polizia
perché serve soltanto lui) ci ha messo il cugino più
corrotto di lui. Quel mangiasoldi che tiene il suo
popolo nella povertà, nella merda, e che per alloggiare la sua bionda mogliaccia a Parigi spende sedi-
cimila dollari al giorno. Al giorno! Perbacco, era
un morto di fame quando lo conobbi all'inizio degli Anni Settanta in Giordania. Ora è nell'elenco di

132

Forbes, la rivista che ho citato per Berlusconi, e sia pure in coda figura tra gli uomini più ricchi del mondo. Sa a quanto ammonta il patrimonio personale di Arafat? A duecento milioni di dollari pari a quattrocento miliardi di vecchie lire italiane. Più del comunista Fidel Castro il cui patrimonio personale ammonta a soli centocinquanta milioni di dollari pari a trecento miliardi di vecchie lire italiane.

Davvero?!?

Sì, sì. Anche questo lo dice la rivista *Forbes*. Ma sia pure in barba a Karl Marx, quel malloppo il signor Castro se l'è guadagnato tagliando la canna da zucchero. Senza la protezione dei sindacati. Quando andai a Cuba per organizzar l'intervista che poi non feci perché ci litigai immediatamente, mi disse che ogni poco interrompeva le sue fatiche di Líder Máximo per aiutar gli operai a tagliare la canna da zucchero. E poiché non voglio credere che la tagliasse come Mussolini tagliava il grano durante la Battaglia del Grano, cioè per cinque minuti, concludo che pure lui è un self-made man alla Berlusconi. Un Paperon de' Paperoni che è diventato tale col sudore della sua fronte. Arafat, no. Il sudore della sua fronte Arafat non l'ha mai versato. Salvo il periodo in cui posava a guerriero ammazzando le vecchie e i bambini nei kibbutz, o addestrando i bei giovanotti della Baader Meinhof nonché i terroristi che ci massacravano sugli aerei o negli aeroporti, ha sempre fatto il monarca e basta. E tutti sanno che quei quattrocento miliardi di vecchie lire italiane non li ha accumulati col sudore della sua fronte. Ammenoché... Conosce la Mecca-Cola?

No. Che cos'è la Mecca-Cola?

La nuova bevanda dei comunisti, pardon, degli ex-comunisti italiani. Ora mi spiego. Il 15 luglio s'è aperta a Firenze l'annuale Festa dell'Unità. Inaugurata dallo stesso Segretario dei Ds cioè da Fassino, badi bene. E per esprimere il loro inguaribile odio verso gli Stati Uniti i diessini di Firenze hanno scelto (riporto la frase che si legge nel comunicato del loro Ufficio Stampa) il boicottaggio dei «prodotti con cui gli americani sfruttano i lavoratori: la Coca-Cola, la Pepsi-Cola, i latticini e le cioccolate della Nestlé (che poi è una multinazionale svizzera non americana, *N.d.R.*) e le sigarette Philip Morris». Tutte cose di cui essi fanno gran uso insieme all'americanissimo hamburger e agli americanissimi blue-jeans e agli americanissimi sneakers. Ma qualche dissetante esotico bisognava pur venderlo alla festa del giornale che usa ancora il linguaggio di sessant'anni fa. Oggigiorno i trinariciuti non s'accontentano mica dell'acqua e del vino e dell'aranciata, roba da proletari non da borghesi snob che vanno alle Fiji o alle Seychelles! Così indovina che cosa vendevano al posto della Coca-Cola e della Pepsi-Cola: la Mecca-Cola. Bevanda fabbricata da una società italo-palestinese che il 10 per cento degli incassi lo devolve per lo sviluppo dei territori palestinesi. E all'improvviso mi coglie il dubbio che Arafat sia diventato tanto ricco grazie al suo sgobbare nelle fabbriche della Mecca-Cola. Ma perché scuote la testa?

Perché penso che i suoi anticorpi in guerra con l'Alieno dovrebbero esser studiati davvero. Una dozzina di domande fa Lei era molto stanca. Protestava che invece d'una intervista stavamo scrivendo un altro libro, e non voleva continuare. Ora invece, e specialmente quando parla di Fidel Castro o Arafat...

Sono stanca come prima. Più di prima. Non si lasci ingannare dalle apparenze. Il fatto è che parlare di quel gentiluomo mi ravviva, e io morirò come Emily Brontë. L'autrice di *Wuthering Heights*. Morì in piedi, Emily Brontë. Sbucciando patate. E invece di cadere per terra restò ritta come un cipresso, con lo sbucciapatate in una mano e una patata nell'altra. A proposito: quante patate dobbiamo ancora sbucciare per concludere questo libro improvvisato?

Tre o quattro. E poiché vorrei concludere parlando di ben altre cose, la domanda che sto per porle è l'unica che insista sul tema della politica italiana. Ecco qua: come ha reagito alla discussa sentenza della nostra Corte Costituzionale, ossia quella che dichiarando incostituzionale l'articolo 13 della Bossi-Fini vieta di arrestare i clandestini espulsi ma non partiti?

Lì per lì con incredulità. Stava bollendo il caso dei trentasette sudanesi che non erano sudanesi però reclamavano ugualmente l'asilo politico e pretendevano di non essere espulsi, quindi rifiutavano di partire, sicché lì per lì son riuscita solo a farfugliare: «Non è possibile, non è possibile. Quei magistrati hanno perso il senno». Poi ho fatto una piccola inchiesta, ho scoperto che la maggior parte di loro sono diessini o simpatizzanti diessini, insomma persone allattate col latte dell'egemonia culturale, e l'incredulità è divenuta sgomento. Li ho immaginati avvolti nelle toghe rosse come cardinali, imberrettati di bianco ermellino come Babbi Natali, e mi sono detta: «Si tratta certamente di uomini probi, di saggi che applican la legge col ragionamento non col sentimento, ma chi mi garantisce che quel verdetto non sia stato influenzato dal latte dell'egemonia culturale?». E ora aggiungo: la nostra Costituzione afferma, sì, che l'asilo politico dev'esser concesso a chiunque scappi da un paese che non ha le nostre libertà democratiche. Ma venne concepito quando il dramma dell'immigrazione non esisteva, non si prevedeva, neanche si immaginava, e perfino la generosità va gestita con grano salis. In tre quarti di questo pianeta le libertà democratiche non ci sono. In Cina, ad esempio, e in tutti i paesi islamici. Asia, Africa, Medioriente. Dovremmo dunque portare in Italia un miliardo di cinesi e non so quanti miliardi di mussulmani? A parte il fatto che non c'entrerebbero nemmeno fisicamente, qui sorge la domanda che ho già posto per la follia che chiamo Voto allo Straniero: per chi è stata scritta la Costituzione? Per noi o per gli stranieri? Dove vanno a finire, coi diritti degli stranieri, i diritti dei cittadini? Ma nessuno lo chiede sennò...

Sennò...?

Sennò, non di rado incoraggiati dai loro grassi cardinali, i frati Comboniani con la bianca tonaca infrivolita dalla sciarpa arcobaleno vanno a schiamazzare davanti alle Prefetture. Sennò i sindacalisti cigiellini fino a ieri specializzati in scioperi selvaggi, ed oggi anche in asili politici, indicono appassionati comizi. (E qualcuno dovrebbe spiegarmi che cavolo c'entra la Cgil con gli stranieri a cui l'asilo politico non spetta per niente). Sennò a tre o quattrocento per volta i neo-squadristi col passamontagna disegnato dallo stilista che vende i suoi cenci miliardari alle stronze dei Tepidarium vanno a Roma per far le violenze che i loro nonni o bisnonni facevano ai tempi di Mussolini. E per andarci pretendono di viaggiare gratis sui treni delle Ferrovie dello Stato. Al controllore che chiede il biglietto rispondono il-biglietto-fallo-pagare-a-Bush e, con gran danno dei pendolari che il biglietto l'hanno regolarmente pagato, il treno si ferma in aperta campagna. Qui rimane per una notte cioè fino a quando un assessore verde, un assessore allo Sport, lo fa rimettere in moto garantendo che la spesa verrà sostenuta dal municipio di Venezia. (E qualcuno dovrebbe spiegarmi perché un municipio debba spendere i soldi dei cittadini per rimborsare gli squadrismi dei neo-squadristi). Sennò i verdi aizzati dal petulantissimo bisessuale e dai suoi mastini si uniscono a loro e con loro alzano cartelli con la scritta «*Italia uguale Guantanamo*». Infatti non capisci mai chi siano, che cosa vogliano, questi verdi più rossi dei rossi. Questi parassiti della politica, queste sanguisughe che in tutta l'Europa prendono in giro l'elettorato cianciando di ecologia, ciarlando sui buchi dell'ozono, posando a San Franceschi che vogliono bene agli uccellini e ai caprini e ai cetacei e agli elefanti. Davvero difender l'ambiente, impedire la caccia nei parchi, salvare gli stambecchi e i fringuelli, convincere il Brasile a votar contro la cattura delle balene, oppure gestire il prossimo Comintern del nazi-fascismo anzi del nazi-islamismo?

Lei che ne pensa?

Penso che delle balene non gliene importi un fico secco. Degli uccellini e dei caprini, nemmeno. Penso che coi fringuelli e gli stambecchi ci facciano delle gran mangiate in rosticceria, che con le zanne degli elefanti ammazzati producano collanine pei travestiti, e che dell'ozono non sappiano nemmeno se sia un veleno o una medicina. Penso che della parola Ecologia si servano come i comunisti si servono della parola Popolo, e che quindi siano persone molto pericolose. Persone senza ideali e senza idee, gusci vuoti che stanno con la Sinistra e fanno l'occhietto all'Islam perché sperano di gestire il prossimo Comintern del nazi-islamismo. Ma forse non è il caso di preoccuparsi. Valgono così poco. Prima o poi si dissolveranno per mancanza di identità.

E dei neo-squadristi che pretendono di viaggiare gratis sui treni, che alzano i cartelli con la scritta «Italia uguale Guantanamo», che si coprono la faccia coi passamontagna disegnati dagli stilisti eccetera, cosa pensa?

Penso che di loro, invece, bisogna preoccuparsi molto. Assomigliano davvero ai giovani che militavano nella Hitler Jugend e nella Repubblica di Salò. Mi ricordano troppo gli imberbi repubblichini che col calcio del fucile si divertivano a spaccare i denti di mio padre torturato da Mario Carità. Stessi slogan, stesse voci. Stessi sguardi, stesse espressioni. Penso che per loro si debba tenere gli occhi ben aperti. Del resto gli occhi ben aperti io li tengo anche per gli apparentemente innocui mocciosi secondo i quali l'esecuzione d'una afgana con le unghie smaltate va vista come «un comportamento diverso e basta». O quando ammirano il Feroce Saladino e barano sulle Crociate. E non mi risponda che i ragazzi eccedono sempre, che gli estremismi appartengono alla gioventù, che a sedici o a diciassett'anni anch'io ero un tipo da pigliar con le molle. Lo ero, sì. Al Liceo dove finita la guerra ero tornata carica di puerili utopie dirigevo una stupida Unione Studenti che avevo fondato per cambiare il mondo, organizzavo stupidi sit-in contro i professori, e una volta ostacolai perfino un loro sciopero sacrosanto. Persuasi i miei compagni di classe a restar nell'aula con la cattedra vuota, costrinsi il preside a mandarci un supplente, e appena arrivato questi esclamò: «Figuriamoci se dietro questa carognata non c'eri tu, mascalzona!». (Si chiamava Manlio Cancogni, il supplente.

Presto sarebbe diventato un noto romanziere, e mi conosceva perché veniva anche lui da Giustizia e Libertà). Ma tra gli eccessi della mia prima giovinezza e quelli di certi ragazzi d'oggi c'è una bella differenza, perdio. Tra la carognata per cui Manlio Cancogni mi dette di mascalzona e il bercio Diecicento-mille-Nassiriya o Italia-uguale-Guantanamo c'è un'intera galassia. E quei ragazzi io non li capisco. Non li assolvo, non li perdono. Cristo! Hanno tutto ciò che la mia, la nostra generazione non ha mai avuto. Quella dei nostri genitori, dei nostri nonni, dei nostri bisnonni e via dicendo, ancor meno. Hanno una libertà che sconfina nella licenza e che gli consente ogni tipo di trasgressione. Godono d'un benessere che sconfina nello sperpero e che gli consente di materializzare ogni desiderio, ogni capriccio. Vivono in una società che li protegge, li tutela con ogni genere di garanzia. Non conoscono la fame, non conoscono il freddo, non conoscono la guerra, non conoscono la fatica. Vanno a scuola gratis, a quattordici anni o anche prima posseggono il motorino e il telefonino, quando si comportano male non vengono rimproverati e tantomeno presi a sberle. Scopano quando gli pare e dove gli pare, ignorano il sacrificio. E questo dovrebbe renderli migliori di noi che da giovani abbiamo conosciuto la fame e il freddo, la guerra e la fatica, che per comprarci la bicicletta siamo andati a lavorare, e che di rimproveri ce ne siamo presi a bizzeffe e in alcuni casi anche sberle. Il benessere e la libertà di cui godono dovrebbe renderli più intelligenti, perdio. Più evoluti, più colti, più buoni. Invece li rende meno intelligenti. Meno evoluti, meno colti, più cattivi. Nonché conformisti. Sì, conformisti. Per conformismo scialacquano il tempo e il denaro nelle discoteche, si drogano, si ammazzano e ammazzano con l'automobile. Per conformismo bruciano i cassoncini della spazzatura, saccheggiano i negozi e in nome degli «espropri-proletari» (loro che sono grassi borghesi) si portano a casa prosciutti e libri e cellulari e televisori e vini. Per conformismo tifano per l'invasore, sventolano le bandiere del nemico. Per conformismo sputano sul tricolore, fanno gli antiamericani, rifiutano l'Occidente, esaltano un Islam che vorrebbe impedirci perfino di mettere un po' di marsala nelle frittelle di riso. Però...

Però...?

Però di tale realtà sono le prime vittime. Perché in tale realtà sono nati, cresciuti. Da tale realtà sono stati fagocitati, assimilati. E la colpa, ovvio, non è loro. È della generazione che li ha partoriti e che, a sua volta rovinata dalla generazione precedente, li alleva nel vuoto della propria pochezza. Della propria ignoranza, della propria cretineria, del proprio conformismo. È delle maestre che negli asili proibiscono il Presepe e respingono Babbo Natale. È dei professori che dalle scuole medie all'università gli somministrano una Storia purgata o falsata, che li avvelenano coi lavaggi cerebrali. È dei pretorini che per farsi pubblicità autorizzano a buttar via il crocifisso. È dei leader non-leader d'una classe politica che va allo sbaraglio. È degli intellettuali che di tale classe politica sono vassalli anzi servi. È dei preti che invece di fare i preti, cioè occuparsi dell'anima, fanno gli agit-prop e si occupano di politica. E soprattutto è dei genitori che invece d'insegnargli cos'è il Bene e il Male gli insegnano il culto delle vacanze, dell'edonismo, dell'esibizionismo, del denaro, e del successo a sbafo cioè ottenuto senza lavorare. Senza studiare, senza faticare. «Voglio uscire dall'anonimato. Voglio diventare famoso, famosa, voglio avere successo» dicono, già a quindici o sedici anni, i figli di quei genitori. E nessuno che replichi: «Successo in che cosa, imbecille? Facendo che cosa? Mostrando l'ombelico negli inutili concorsi delle inutili veline? Gracchiando offensive nenie che accusano la Fallaci di amare la guerra? Rifiutando di pagare il biglietto sul treno, scrivendo bestialità sui muri, vuotando i negozi in nome dell'esproprio-proletario, razza di delinquente? È così che sogni d'uscire dall'anonimato, d'ave-

re-successo, coglione? E poi perché dovresti uscire
dall'anonimato, avere successo, tu che non sai fare
nulla e non vali nulla? Il successo bisogna meritar-
selo, caro mio. Bisogna guadagnarselo col lavoro e
lo studio e la fatica e il merito, cretino, cretina!».
Oh, sì. La colpa è di chi li tira su. Ma a pensarci bene è anche della gente come noi, come me.

Come noi, come Lei?!?

Come noi, come me. Perché fino a una quindici-
na di anni fa io ho cercato, sì, di trasmettere le verità che incontravo sulla mia strada. Dia un'occhiata ai miei scritti e vedrà che in ciascuno di essi
mi rivolgo in maniera diretta o indiretta ai giovani. Raccontando la guerra che i figli di puttana e
di puttano m'accusano d'amare, ad esempio. Predicando la libertà da usare con disciplina, autodi-
sciplina, non come fanno loro quando scambiano
la libertà con la licenza. Parlando dei doveri che
devono accompagnare i diritti, della dignità e del-
l'onore a cui oggi nessuno si riferisce più. L'ho fatto anche quando mi sentivo fraintesa, l'ho fatto
anche quando mi sentivo non ascoltata. Ma a un
certo punto, stanca di predicare a vuoto, ho detto
basta. Ho tagliato i ponti col mondo. Mi sono ar-
roccata dentro una sterile torre d'avorio, chiusa
dentro un disinfettato silenzio, e non ho più aper-

to bocca. Non ho più mosso un dito. Da quell'esilio sono emersa soltanto l'Undici Settembre cioè quando la realtà s'era ormai incancrenita.

Le capita mai di cambiare idea?

Su queste cose, no. Certo no. Su altre, sì. Perbacco, soltanto le pietre non cambiano idea. Non pensano, quindi non soffrono. Da giovane, ad esempio, credevo che la giustizia sociale si potesse raggiungere col socialismo. Finita la guerra mi iscrissi al Partito d'Azione che era un partito liberalsocialista cioè un partito che voleva conciliare il socialismo col liberalismo. Poi il Partito d'Azione morì. Rimasi sola, da sola presi a riflettere, a crescere, e alle soglie della maturità compresi d'aver speso la mia gioventù nel culto d'una utopia o d'un equivoco. Perché mi convinsi che il socialismo era fratello del comunismo, un volto del comunismo. Anche il socialismo-dal-volto-umano di cui Pietro Nenni parlava alla fine della sua vita. Perché realizzai che mio padre, pure lui liberalsocialista, aveva ragione a dire che invece di rendere tutti ricchi il fratello del comunismo rende tutti poveri e negando il merito taglia le palle all'Uomo. Perché conclusi, insomma, che nonostante le sue seduzioni il socialismo non si poteva conciliare col liberalismo. E cambiai idea. Però, ecco il punto, senza sposarne un'altra. O senza tentare di elaborarne un'altra, ammesso che ciò fosse possibile. Infatti il tema della giustizia sociale rimase in me come una spina nel cuore. E per chi non ha quella spina nel cuore ancor oggi provo un'istintiva ostilità anzi un'istintiva ripugnanza. Io non potrei mai schierarmi con la squadra di calcio che ha nome Destra. Tale idea non mi sfiora nemmeno quando lo sdegno per la squadra di calcio che ha nome Sinistra tocca lo spasimo. Non potrei mai schierarmi nemmeno con le anime pie che credono di risolvere il problema elargendo elemosine, ricorrendo alle opere di beneficenza, e spesso mi chiedo se non sia quella spina nel cuore a rendere così difficile il mio rapporto col denaro. Io non amo il denaro. Lo voglio, sì, perché mi serve e mi spetta. Paga il mio lavoro, la mia fatica, concede un po' di sollievo alla mia non facile esistenza. Ma per lui nutro una fortissima antipatia, una specie di acredine o di rancore. E non capisco chi ha il culto del denaro, chi non si sazia mai di denaro, e a toccarlo gioisce come l'avaro di Molière. Ancor meno capisco chi misura il merito col denaro e chi non ammette che è il denaro la causa di tutti i mali, la fonte di quasi tutte le infelicità. Il fatto è che contrariamente ai parolai che berciano dalle tribune o nelle piazze, io sono una rivoluzionaria. A parte le cose belle e le conquiste della Scienza, del mondo che mi circonda non mi va bene nulla. Nemmeno il suo concetto di rivoluzione. La Rivoluzione non è la ghigliottina di Place de la Concorde. Non è la presa del Palais d'Hiver a Pietroburgo. Non è l'impaziente e brutale sovvertimento che distrugge o smantella sicché, quando tutto è distrutto o smantellato, chi è rimasto raccoglie i ruderi. Li rattoppa, li rabbercia, e tutto torna come prima. Napoleone al posto delle loro Maestà Louis XVI e Marie Antoinette, Stalin al posto dello zar Nicola Romanov, Khomeini al posto dello scià Reza Pahlavi, Bin Laden al posto del Papa. La Rivoluzione per me è pazienza, ragionevolezza. È l'incruenta metamorfosi del baco che senza far male a nessuno, neanche a sé stesso, diventa farfalla. Una bellissima farfalla. E vola. Infatti sogno sempre di volare. Come una farfalla anzi come un gabbiano.

E qual è l'idea su cui non ha mai cambiato idea, non cambierà mai idea?

La libertà, ovvio. Non la libertà intesa come licenza, sfrenatezza, prepotenza, egoismo, cioè la libertà che s'inebria di sé stessa. Che si abbandona agli eccessi, che toglie libertà agli altri. La libertà ragionata, intendo dire. Disciplinata anzi autodisciplinata. Me l'insegnò Platone in seconda Liceo, quando il professor Morpurgo ci fece tradurre dal greco in italiano quella mezza pagina dell'ottavo libro di *Repubblica*. Guardi, l'ho incorniciata. La tengo sul muro, sia qui che a New York. E va da sé che non ne avrei bisogno. La so a memoria, posso recitarla come i preti recitano il Pater Noster. Ascolti: «Quando un popolo divorato dalla sete di libertà si trova ad aver coppieri che gliene versano quanta ne vuole, fino ad ubriacarlo, accade che i governanti pronti ad esaudir le richieste dei sempre più esigenti sudditi vengano chiamati despoti. Accade che chi si dimostra disciplinato venga dipinto come un uomo senza carattere, un servo. Accade che il padre impaurito finisca col trattare i figli come suoi pari e non è più rispettato, che il maestro non osi rimproverare gli scolari e che questi si faccian beffe di lui, che i giovani pretendano gli stessi diritti dei vecchi e per non sembrar troppo severi i vecchi li accontentino. In tale clima di libertà, e in nome della medesima, non v'è più rispetto e riguardo per nessuno. E in mezzo a tanta licenza nasce, si sviluppa, una mala pianta: la tirannia». Mi dica, non sembra scritto oggi per certi italiani d'oggi?

Glielo dico.

Ecco perché mi arrabbio tanto. Ecco perché descrivendo la mala pianta parlo spesso del fascismo, dei suoi figli prediletti cioè del nazismo e del bolscevismo, del suo concime preferito cioè del colla-borazionismo. Ne parlo senza considerare il rischio d'apparire monotona. Senza curarmi di coloro che essendo fascisti, nazisti, bolscevichi, collaborazio-nisti, certe cose non vogliono sentirsele dire o non le capiscono. So che in un dibattito televisivo su *La Forza della Ragione*, qualcuno disse: «La Fallaci vi-ve nel passato, è un'antifascista vecchio stile». Idio-ta! A parte il fatto che oltre a non aver colore il fa-scismo non ha età, se c'è una persona che affoga nel presente questa sono proprio io. Al passato mi riferisco per fornire un paragone, dare un avverti-mento. Per ricordare agli immemori che la Storia si ripete e che a non conoscerla ci si fotte, che...

Cosa c'è? Si sente male di nuovo?

No, no. Solo un po'. Forse è un'altra botta di stan-chezza. Forse è l'Alieno che si difende dai miei an-ticorpi. E forse è anche la vecchiaia che ormai avanza. Però mi piace, la vecchiaia. Mi diverte. So-no sciocchi quelli che la rifiutano e che per rifiutar-la si fanno il lifting, si vestono da ventenni, barano sull'età. Sciocchi ed ingrati. Lo dissi anche ai due amici che dopo l'uscita de *La Rabbia e l'Orgoglio* vennero a New York per intervistarmi. L'intervista non gliela detti, no. Però li invitai a cena, e a un cer-to punto gli dissi che la vecchiaia è una bellissima età. L'età d'oro della Vita. Non tanto perché l'alternativa è morire senza conoscere il lusso di quel privilegio, quanto perché è la stagione della libertà. Da giovane credevo d'essere libera. Ma non lo ero. Mi preoccupavo del mio futuro, mi lasciavo influenzare da un mucchio di cose o persone, e in pratica non facevo che ubbidire. Ai genitori, ai professori, ai direttori dei giornali dove lavoravo già a diciott'anni... Da adulta credevo d'essere libera. Ma non lo ero. Mi preoccupavo ancora del futuro, mi lasciavo condizionare dai giudizi malevoli, temevo le conseguenze delle mie scelte... Oggi non le temo più. I giudizi malevoli non mi condizionano più, il futuro non mi preoccupa più. Perché dovrebbe? È arrivato, ormai. E sgombra di vani desideri, di superflue ambizioni, di errate chimere, mi sento libera come non lo sono mai stata. Libera d'una libertà completa, assoluta. Inoltre la vecchiaia è bellissima perché da vecchi si capisce ciò che da giovani e perfino da adulti non s'era capito. Perché con le esperienze, le informazioni, i ragionamenti che abbiamo accumulato, tutto s'è fatto chiaro. O molto più chiaro. Alcuni chiamano questo saggezza. E se sono saggia io non lo so. A volte lo escludo. Ma so che grazie a quelle esperienze, quelle informazioni, quei ragionamenti, il mio cervello è migliorato come un buon vino rosso. Ha intensificato il suo sapore, ha assorbito le energie che

il resto del corpo ha perduto. Non che sia scanda-
losamente vecchia, intendiamoci. Sulla faccenda ci
gioco un po'. È la mia civetteria. Ma l'Alieno mi
consuma, a volte non mi reggo in piedi. E, come ho
detto all'inizio della nostra chiacchierata, quando
non mi reggo in piedi ragiono meglio. Studio meglio, lavoro meglio. È come se la forza delle mie
gambe, delle mie braccia, dei miei polmoni si fosse
trasferita nella mia testa. E questo mi consola a tal
punto che non mi dico mai «Vorrei-tornare-indie-
tro, ricominciare-daccapo». Tutt'al più, sapendo
che non durerò molto, esclamo: «Proprio ora! Dio,
che spreco. La morte è uno spreco».

È uno spreco anche tenere dentro un cassetto le ot-
tocento pagine che chiama «il mio bambino» cioè il
lungo romanzo che interruppe l'Undici Settembre.

Lo so. Perché è vivo, quel bambino. Ben vivo. Così vivo che nel mio cervello si muove come un feto
nel ventre. Muovendosi mi chiama, mi reclama, mi
rinfaccia i suoi diritti fino a spaccarmi il cuore, e
ogni volta darei l'anima per tirarlo fuori dal cassetto. Riprenderlo in mano, concluderlo. Ma l'Undici
Settembre m'ha davvero rubato a me stessa, e ciò
che succede da allora m'avviluppa più d'una vischiosa rete di ragno. Ogni filo della rete un laccio
che mi imprigiona, mi incolla alla tragedia in cui

stiamo vivendo. L'Islam avido, strisciante, ambiguo. La sua fame e la sua sete di conquistare, soggiogare. Il suo culto della Morte, la sua voluttà per
la Morte. La sua doppiezza e la sua slealtà. L'Occidente cieco, sordo, rimbecillito. Il suo cancro morale e intellettuale, la sua debolezza, la sua timidezza. Il suo masochismo. Il mio dovere di parlarne,
dire ciò che la gente pensa ma non dice. Dovere al
quale obbedirò finché avrò un filo di respiro. E il
mio-bambino è un bambino che vive in un mondo
troppo diverso da quello d'oggi. Vive nel mondo
del nostro passato, dei tempi in cui si suonavano le
campane e si viaggiava in carrozza. E in cui si cre-
deva alla patria, all'onore, in cui si saliva sul patibo-
lo per la Libertà. È anche un bambino molto com-
plesso, molto esigente. Trabocca di personaggi che
nuotano nel mare della Storia e nel medesimo tempo volano nei cieli della fantasia. In quanto tale richiede una concentrazione assoluta, la serenità che
mi benediva quando m'occupavo esclusivamente
di lui e il resto non m'interessava. Come faccio, oggi, a occuparmi esclusivamente di lui ossia a ignorare la realtà che mi circonda? Siamo in guerra.
Una guerra che non volevamo, che non vorremmo,
ma che il nemico ci ha dichiarato e che di conseguenza dobbiamo combattere. Una guerra che si
allarga ogni giorno, che ogni giorno rischia d'an-
nientarci, e che quindi mi riguarda anche perso-

nalmente. Avermi criminalizzato anzi demonizzato, non basta ai figli di Allah e ai loro complici. Il loro più vivo desiderio è tapparmi la bocca per sempre, ammazzarmi prima che mi ammazzi l'Alieno. E sebbene di quest'argomento parli poco perché parlarne mi annoia, nella vischiosa tela di ragno c'è anche quel laccio. Un laccio per cui devo sempre guardarmi alle spalle, diffidare d'ogni ombra e d'ogni rumore, essere protetta e tenere il fucile carico accanto al letto. Ma se duro, lo concluderò il mio-bambino. Lo partorirò. E mi creda: se morirò un istante dopo aver scritto l'ultima pagina, morirò felice.

Ciò mi aiuta a porre la domanda finale. Una domanda molto difficile. Brutale e difficile.

Coraggio, la ponga.

Le fa paura la morte?

Non è una domanda brutale, non è una domanda difficile. Io l'ho posta tante volte agli altri. Per esempio ad Hailé Selassié, l'imperatore d'Etiopia, quando lo intervistai nella sua reggia di Addis Abeba. Povero Hailé Selassié. Era vecchissimo, ormai, e s'arrabbiò come una belva. «Quelle mort, che morte, quelle mort?» strillava. A udirlo strillare i suoi cagnolini, tre chihuahua che teneva sulle ginocchia, mi saltarono addosso e al fotografo morsero addirittura un polpaccio. Poi, urlando «Partez-fuori-partez», Sua Maestà ci cacciò via. Ci fece scaraventare dalle guardie nel parco attiguo alla sala del trono, e Gesù. C'era un leone, nel parco. Il leone più grosso che avessi mai visto. E ruggiva. Bè, lo scoprimmo l'indomani che era un leone mansueto. Che passava le giornate a nutrirsi di bistecche, che la gente non la mangiava mai. In quel momento non lo sapevamo e tremavamo come foglie al vento. «Ora che si fa, dove si va?» balbettava il fotografo. «Vagli incontro, prova a fargli una carezza sul muso» gli rispondevo con voce strozzata. «Vacci tu, fagliela tu la carezza sul muso» replicava lui inviperito. E a un certo punto mi spinse in avanti perché gliela facessi davvero. Allora il leone smise di ruggire, s'accucciò, sbadigliò con l'aria di borbottare siete-proprio-scemi, e piano piano raggiungemmo il cancello. Me ne andai pensando che per trattarci così Sua Maestà doveva avere una gran paura della morte. Io no. Non ce l'ho. La conosco troppo bene. La conosco fin da bambina, quando correvo sotto le bombe della Seconda Guerra Mondiale e scavalcavo i corpi della gente che non aveva corso abbastanza. La conosco perché l'ho frequentata troppo, ahimè. In troppi luoghi e in troppe maniere. Al Messico, per esempio, quando m'accadde quel che si sa. In Vietnam, in Cambogia, in Bangladesh, in Giordania, in Libano, quando facevo il corrispondente di guerra e mi trovavo sempre in qualche combattimento o in altre situazioni terrorizzanti. Nel mio cuore, quando ammazzarono Alekos Panagulis e quando il cancro si portò via mia madre poi mio padre poi mia sorella Neèra nonché lo zio Bruno. Infine ora, grazie alla malattia e a coloro cui avermi criminalizzato anzi demonizzato non basta. Voglio dire: a forza di frequentarla, sentirmela attorno e addosso, con lei ho maturato una strana dimestichezza. E l'idea di morire non mi fa paura.

Sul serio?

Sul serio. Non dico bugie. Sono troppo orgogliosa per dire bugie. Del resto, che ci sarebbe di indegno, di degradante, ad ammettere che la Morte mi spaventa come spaventava Hailé Selassié? Glielo confesso con serenità: al posto della paura io sento una specie di malinconia, una specie di dispiacere che offusca perfino il mio senso dell'umorismo. Mi dispiace morire, sì. E non dimentico mai ciò che Anna Magnani mi disse tanti anni fa: «Oriana mia! Non è giusto morire, visto che siamo nati!». Non dimentico nemmeno che quell'ingiustizia è toccata a miliardi e miliardi di esseri umani prima che a me, che toccherà a miliardi e miliardi di esseri umani dopo di me. Però mi dispiace lo stesso. L'amo con passione, la Vita, mi spiego? Sono troppo convinta che la Vita sia bella anche quando è brutta, che nascere sia il miracolo dei miracoli, vivere il regalo dei regali. Anche se si tratta d'un regalo molto complicato, molto faticoso. A volte, doloroso. E con la stessa passione odio la Morte. La odio più d'una persona da odiare, e verso chi ne ha il culto provo un profondo disprezzo. Anche per questo ce l'ho tanto coi nostri nemici. Coi tagliatori di teste, coi kamikaze, coi loro estimatori. Il fatto è che pur conoscendola bene, la Morte io non la capisco. Capisco soltanto che fa parte della Vita e che senza lo spreco che chiamo Morte non ci sarebbe la Vita.

Oriana Fallaci

Da qualche parte in Toscana,
estate 2004

L'APOCALISSE

(Post-Scriptum)

E poi l'Angelo disse: «Scrivi, perché ciò che dico è vero e degno d'essere creduto».

(Dall'Apocalisse
dell'*evangelista Giovanni*)

«*Allora vidi un mostro che saliva dal mare. Aveva sette teste e dieci corna, su ogni corno portava un diadema, e su ogni testa un nome che era una bestemmia. Una delle sue teste sembrava mortalmente ferita, ma presto la piaga guarì e tutti caddero in preda alla meraviglia. Tutti si inginocchiarono ai suoi piedi e dissero: "Chi potrà mai combattere contro di lui?". Poi gli ubbidirono e gli consentirono di pronunciare frasi arroganti, offendere Dio, maledire il suo nome. Gli consentirono di profanare il tempio e insultare coloro che sono in Cielo. Gli consentirono di far guerra a coloro che appartengono al Signore e vincerli. Gli dettero potere su ogni razza, popolo, ogni lingua, ogni nazione... E poiché ai piedi del Mostro si inginocchieranno gli abitanti della Terra che non hanno il proprio nome scritto nel Libro della Vita, il libro rivelatoci dall'Agnello sgozzato, se sei in grado d'ascoltare ascolta. Chi deve andare in prigione andrà certamente*

in prigione. Chi deve essere ucciso di spada sarà
certamente ucciso di spada. Ma è qui che si vedrà
la fermezza e la fede di chi appartiene al Signore».
Bè, abbiamo molte cose da aggiungere all'intervi-
sta che la scorsa estate concludemmo col discorso
sulla Morte che non dovrebbe esistere ma esiste
perché se non esistesse la Morte non esisterebbe la
Vita. E per riaprirlo ho scelto questo brano dell'A-
pocalisse.

Lo conosco. Lo rilessi quando i seguaci del Mostro
trucidarono i centocinquanta bambini di Beslan.
Quei bambini che scalzi e seminudi scappavano
dalla scuola come fringuelli che volano via da un
albero sul quale sono piombati gli avvoltoi. Lo rilessi anche quando i giornali pubblicarono la tremenda fotografia dell'uomo che stravolto corre
tenendo sulle braccia un minuscolo corpo ignu-
do, un cadaverino così martoriato che il sangue
sgorga ancora dalle ferite e sgorgando inzuppa
perfino i capelli biondi d'un biondo giallo limone. Lo rilessi perché fra i trentasei avvoltoi del
commando c'erano due donne. Due di quelle che
per vendicare il marito morto o per lavare l'onta
del ripudio inflitto dal marito vivo vanno ad uccidere e uccidersi in nome di Allah. Tutte vestite di
nero, coi guanti neri e il volto coperto dal nikab
nero, quasi andassero a pregare il loro dio miseri-

cordioso e iracondo in moschea. M'ero chiesta: possibile?!? Non lo sapevano che l'obbiettivo sarebbe stato stavolta una scuola con mille bambini, inclusi i bambini dell'asilo? Non v'era alcun istinto materno nel loro ventre e nel loro cuore? Non sentivano lo strazio, l'incredulità, la disperazione che nella fotografia distorce i lineamenti dell'uomo col cadaverino sulle braccia? È dunque così forte, così irresistibile, il potere del Mostro con sette teste e dieci corna? E poi lo rilessi, quel brano, perché mentre mi ponevo queste domande lo sguardo m'era caduto sulla cartella dentro la quale tengo l'elenco degli ostaggi immolati sull'altare di Allah dai macellai che i nostri collaborazionisti chiamano «resistenti». Insieme all'elenco, l'immagine (diffusa da Hamas) d'una kamikaze palestinese col figlio. Lei, una florida ventenne che nonostante la testa coperta dallo hijab indossa la tuta mimetica e impugna fieramente il kalashnikov. Lui, un bel bambino coi riccioli neri, sui quattro anni, l'età del cadaverino coi capelli biondi d'un biondo giallo limone, che stringendo tra le manine un grosso Rpg sorride felice come se vestito da Pinocchio festeggiasse il Carnevale. M'era parsa un'icona, quell'immagine diffusa da Hamas. Una voluta imitazione dei dipinti dove Maria Vergine appare col Bambin Gesù, e al posto del kalashnikov c'è un giglio. Al posto dell'Rpg, una colomba. Imitazione voluta, sì, e subito m'eran tornati alla mente i bambini palestinesi che negli Anni Settanta (io li ho visti) l'Olp di Arafat addestrava nei campi del Libano o della Giordania. Bambini così piccoli, spesso, ricordo, che il kalashnikov lo reggevano a fatica e l'Rpg non riuscivano a infilarlo dentro la canna. M'erano tornati alla mente anche i bambini iraniani che negli Anni Ottanta, alla frontiera con l'Iraq, i khomeinisti mandavano sui campi minati affinché saltando in aria pulissero il tragitto cioè preparassero la strada alla truppa. Ce li mandavano accompagnati dai mullah che su un cavallo bianco, a debita distanza, li spronavano agitando una spada di latta e una gran chiave di cartapesta. La chiave del Djanna, del Paradiso. E di nuovo m'ero chiesta: possibile? è dunque così forte, così irresistibile, il potere che il Mostro esercita su coloro che sottomette? Ma come fa a dominarli fino a ottenebrare l'impulso di protezione che qualsiasi animale, anche una iena o un pescecane, ha verso i propri figli?

L'Apocalisse parla anche di un altro mostro. «Dopo il Mostro che saliva dal mare» scrive l'evangelista Giovanni «vidi un mostro che saliva dalla terra. Una bestia con due corna uguali alle corna d'un agnello e la voce uguale alla voce d'un drago. E la

Bestia prese a esercitare il potere per conto del Mostro. Costringeva gli abitanti della terra ad adorarlo come si adora un dio, ordinava di erigergli statue, ed era capace di grandi miracoli. Ad esempio il miracolo di far scendere il fuoco dal cielo. In tal modo ingannava la gente, la convinceva ad uccidere chi non erigeva le statue, chi non adorava il Mostro come si adora Dio, e a tutti imprimeva un marchio sulla fronte e sulla mano destra. A tutti. Ricchi e poveri, grandi e piccoli, liberi e schiavi. Nessuno poteva vendere o comprare, se non aveva il marchio. E chi riusciva a non averlo moriva ucciso».

Sì. Il marchio dei collaborazionisti. La Bestia che in buona o cattiva fede aiuta il Mostro. L'Europa che chiamo Eurabia, l'Occidente che divorato dal cancro morale fa il gioco dell'Islam. Rassegnato, soggiogato, pavido. Rifarsi all'Apocalisse sembra un gioco intellettuale, vero? Sembra un trucco letterario, una fantasia da scrittori, una fiaba. Invece è la tragica realtà in cui viviamo duemila anni dopo Giovanni l'evangelista. Per capirlo basta dare un'occhiata ai giornali e alle Tv, o ascoltare le insensatezze che dicono i politicanti europei. Pensi a quella che il presidente della Repubblica Francese, insomma Chirac, disse a Philippe de Villiers: «Mon cher ami, les racines de l'Europe sont autant musulmanes que chrétiennes! Amico mio, le radici dell'Europa sono tanto mussulmane quanto cristiane!». È inutile chiedersi se avesse bevuto. Non aveva bevuto, aveva appena convinto i suoi alleati a togliere dalla Costituzione Europea le radici giudaico-cristiane. Oppure pensi a quella che il socialista francese Laurent Fabius disse nel maggio del 2003 al congresso che il suo partito tenne a Digione: «Quando le Marianne dei nostri municipi assumeranno il volto d'una giovane francese naturalizzata, immigrata, avremo fatto un gran passo avanti per vivere in pieno i valori della Repubblica». Del resto non sono la sola a sostenere che con l'aiuto della Bestia il Mostro sta già vincendo. Lo scorso giugno Jean Raspail, lo scrittore che col suo libro *Campo dei Santi* già nel 1973 aveva annunciato il disfacimento della nostra civiltà, pubblicò su *Le Figaro* un articolo che sembrava scritto da Giovanni l'evangelista. Lo legga. Parla del tam-tam martellante che anche in Francia si fa sull'accoglienza, sul multiculturalismo, sui diritti-dell'uomo applicati da una parte e basta. Denuncia le leggi repressive che oggi vengono chiamate leggi antirazziste. Descrive l'autolesionismo con cui attraverso la scuola e la magistratura, i partiti e i sindacati, i giornali e le Tv, il suo paese si consegna agli immigrati e conclude: «Io sono persuaso che il destino della Francia sia finito. Lo sono perché, come diceva François Mitterrand, *si sentono a casa loro in casa mia*. E perché tale situazione è irreversibile. Nel 2050 i francesi originari non saranno che la metà. E tutti vecchi. L'altra metà si comporrà di maghrebini, africani, asiatici, insomma di persone venute dall'inesauribile serbatoio che ha nome Terzo Mondo. Ma tutta l'Europa, tutta, marcia verso la propria morte».

Dal momento in cui pubblicammo «Oriana Fallaci intervista Oriana Fallaci», cioè dai primissimi giorni dello scorso agosto, cosa ha contribuito di più a raggelarla con l'apocalittica visione d'un mondo caduto nelle fauci del Mostro e della Bestia che lo serve?

Il crescendo del terrorismo islamico, anzitutto. Lo stillicidio dei morti decapitati, sgozzati, freddati col colpo alla nuca, disintegrati col tritolo. I morti che elenco nella Nota ai Lettori di questo libro. I morti a cui dedico questo libro. E, contemporaneamente, il fatto che soprattutto in Italia la gente si sia abituata a questo come se avesse davvero il marchio sulla fronte e sulla mano destra. Oh, lì per lì la gente reagisce ancora. Quando all'ora di cena il telegiornale gli dà la notizia d'un nuovo sequestro, nove casi su dieci preludio alla morte più orrenda, c'è ancora chi si copre il volto con entrambe le mani o bestemmia. E magari c'è chi ricorda che quello di rapire il prossimo è un antico vizietto del Mostro. Un vizietto che risale ai tempi di Mamma-li-turchi cioè i tempi in cui i li-turchi piombavano sulle coste del Mediterraneo ed oltre a saccheggiare massacrare distruggere ci rapivano per venderci nei mercati degli schiavi a Tunisi o ad Algeri o a Istambul. Con quel vizietto, il vizietto di decapitare la gente come faceva Maometto anzi come i suoi seguaci hanno sempre fatto per milletrecento anni. Quando il telegiornale aggiunge che la morte orrenda è avvenuta, che l'ostaggio è stato decapitato o sgozzato o freddato col colpo alla nuca, lo stesso. «Ah, che indecenza! Che vergogna!» dicono. Ma dopo se ne scordano. Vi si abituano come io m'ero abituata a rischiare gli attentati a Saigon e a seguire i combattimenti a Dak To o a Tri Quang o a Da Nang. Per me fu un'esperienza terrificante seguire il primo combattimento in Vietnam. Stare sotto quella pioggia di fuoco, vedere quei Marines che appena colpiti cadevano come sassi, che coperti di sangue restavano lì a mugolare mammy-mammy, trovarmi accanto a uno che squarciato al ventre moriva con le budella in mano, mi straziò e mi rovesciò lo stomaco. E a un certo punto vomitai. La seconda volta, no. Mi straziò assai meno e non vomitai. La terza sopportai tutto senza meravigliarmene troppo. M'ero già abituata. Quanto agli attentati che i vietcong facevano nei ristoranti di Saigon, bè. All'inizio ci andavo malvolentieri nei ristoranti. Ogni volta mi chiedevo se sarebbe stato l'ultimo pasto, e mangiando temevo di saltare in aria o veder irrompere un vietcong con la bomba in mano. Poi no. Mi ci abituai a tal punto che un giorno dissi a me stessa: sei diventata una pietra, ti sei addormentata? E mi svegliai. In certi casi abituarsi è una colpa. Nonché un masochismo. L'abitudine genera rassegnazione, la rassegnazione genera apatia, l'apatia genera inerzia, l'inerzia genera indifferenza. Ed oltre a impedire il giudizio morale, l'indifferenza soffoca l'istinto di autodifesa. Quello che induce a difendersi, a battersi. Io mi chiedo come reagiranno, gli italiani, quando il Mostro li colpirà a casa loro. Quando li attaccherà mentre sono con la famiglia o lavorano in un grattacielo, viaggiano su un treno, ascoltano la Messa. Perché prima o poi accadrà anche a noi quello che è successo a New York, a Madrid, in tante altre parti del mondo, quello che succede di continuo in Israele e in Iraq dove ti ammazzano perfino in chiesa. E non sarà certo predicando l'accoglienza, accettando chiunque sbarchi a Lampedusa, dandogli l'asilo politico e il voto, blaterando di pacifismo e pluriculturalismo, chiamando «resistenti» i macellai che se la caveranno.

Forse non se la caveranno proprio a causa di coloro che invece d'opporsi al Mostro lo aiutano. Che invece di ribellarsi accettano il marchio sulla fronte e sulla mano destra.

Il marchio che li etichetta, ad esempio, quando parlando di terrorismo non pronunciano mai la parola «islamico». Stia attenta: chi ha il marchio non dice mai «terrorismo islamico». Dice «terrorismo» e basta. Al massimo, «terrorismo internazionale». Manco esistesse anche un terrorismo cristiano o buddista, cinese o esquimese o svedese. Non solo: appena possono, quel terrorismo lo vestono di nazionalismo. Quindi d'amor patrio, di legittima rivendicazione. Tutti. Comunisti, fascisti, diessini, margheritai, cattolici ufficiali... Li ha mai sentiti associare la parola «palestinese» alla parola «mussulmano»? Li ha mai sentiti ricordare a sé stessi o agli altri che i kamikaze di Hamas sono figli di Allah sicché, in ubbidienza al Corano, gli ebrei li massacrerebbero anche se Sharon gli regalasse l'intera Israele e si convertisse all'Islam? Nel caso dei ceceni, lo stesso. Durante la tragedia di Beslan, i nostri giornali fecero capriole per non sottolineare che i boia di Beslan erano tutti figli di Allah. L'*Osservatore Romano* in testa. E ringraziare Iddio se dopo la strage sul pio giornale apparve la fotografia d'una piccola mano insanguinata da cui penzolava un piccolo crocifisso. Il quotidiano che appartiene alla Conferenza Episcopale, quello che tre anni fa querelai perché mi aveva volgarmente insultato, pubblicò addirittura un editoriale nel quale si diceva che etichettare i combattenti nazionalisti col termine «terroristi islamici» era un comodo alibi per giustificare le «inumane repressioni di Putin». E i cosiddetti quotidiani indipendenti calcarono scrupolosamente la mano sul fatto che al terzo giorno le Forze Speciali di Putin avessero lanciato un attacco per tentar di liberare i bambini. Molti dissero addirittura che il crollo della palestra era stato causato da loro. Ergo, la maggior parte degli italiani credettero che a provocar la strage fossero state le Forze Speciali di Putin. Insomma che il boia fosse Putin. Le televisioni e le radio, lo stesso. Per non parlar di Mortadella che subito s'affrettò a rimproverare Mosca. («Tutta colpa di Putin» mi disse, l'indomani, il postino. «Lo dice anche Mortadella»). Inoltre la notizia che i sequestratori avessero violentato e ucciso le scolare quindicenni apparve soltanto in alcuni reportages, annegata dentro fiumi di episodi estranei all'infamia. E dulcis in fundo: ben pochi dettero risalto allo straordinario editoriale che il saudita Abdel Rahman al-Rashed pubblicò sul suo giornale, *Asharq al-Awsat*.

*Quello del Non-tutti-i-mussulmani-sono-terroristi-
ma-tutti-i-terroristi-sono-mussulmani?*

Certo sì, e chi altro?

Che cosa pensa di lui?

Lo ammiro profondamente. Lo rispetto con tutta l'anima. E se non fossi un bersaglio anch'io, gli
chiederei l'onore d'assumermi come guardia del
corpo e passerei il resto della mia vita a proteg-
gerlo. Ma l'ha letto per intero il suo articolo? Ec-
colo qua: «È un fatto che non tutti i mussulmani
sono terroristi, ma è ugualmente un fatto che tutti i terroristi sono mussulmani. Quelli che hanno
sequestrato i bambini di Beslan erano mussulmani. Quelli che hanno sequestrato e ucciso i dodici nepalesi sono mussulmani. Quelli che hanno
fatto saltare in aria i complessi residenziali di
Riad e di Khoba sono mussulmani. Quelli che
catturano gli ostaggi e li sgozzano sono mussulmani. Quelli che conducono gli attacchi suicidi
sono mussulmani. Bin Laden è mussulmano. I
suoi luogotenenti, i suoi consiglieri, i suoi mano-
vali sono mussulmani. Questo non ci dice niente
su noi stessi e sulla nostra società?». E poi: «Lo
sceicco Yusuf al-Qaradawi, padre di due fanciul-
le che protette dalla polizia inglese studiano nella

miscredente Gran Bretagna, giustifica o addirittura approva le uccisioni dei civili americani in Iraq. Mi domando come farebbe a guardare in faccia la madre di Nick Berg. Mi domando anche come possa pensare d'esser creduto quando alla Tv afferma che l'Islam è una religione di pace e misericordia e tolleranza. Noi mussulmani siamo malati. Davvero malati, e d'una malattia molto seria. Dovremmo curarla. Il guaio è che per curare una malattia bisogna prima denunciarla, ammettere d'averla. E nessuno la ammette. Nessuno confessa d'esser malato». Infine: «Non possiamo ripulire il nostro nome se non ammettiamo che il terrorismo è diventato una bruttura tutta islamica, il nostro monopolio esclusivo. Non possiamo redimere i nostri giovani se non ci confrontiamo con gli sceicchi che per darsi un'identità posano a rivoluzionari anzi a pseudorivoluzionari e mandano a morire i figli degli altri. Che i propri figli, invece, li mandano a studiare nelle università americane o europee...». Straordinario, sì. Il guaio è che una rondine non fa primavera. Il suo grido di onestà e di coraggio non è stato raccolto da alcun mussulmano. Sulle indiscutibili verità che egli ha stampato tutti gli altri mussulmani hanno tenuto il becco chiuso. E nonostante lui che ora rischia d'essere ucciso, quelli col marchio sulla fronte e sulla mano destra continuano a distinguere fra Islam buono e Islam cattivo. Peggio: è diventata una moda parlare di Islam Moderato.

Eccoci al punto. Perché sulla fandonia dell'Islam Moderato il 2 settembre, quindi proprio durante la tragedia di Beslan, il «Corriere della Sera» pubblicò un Manifesto. Quello che «Il Foglio» avrebbe spiritosamente definito «L'Islam de noantri». E non sono in pochi a chiedersi come Lei vi abbia reagito.

Prima con una risata. Amara ma risata. Perché parlare di Islam moderato mentre un commando di mussulmani ceceni tiene in ostaggio mille bambini e minaccia di ucciderli uno-ad-uno è perlomeno bizzarro anzi ridicolo. Poi, spenta la risata, con una smorfia di compassione. Perché, con l'emme maiuscola, la parola manifesto non va presa alla leggera. Io a vederla penso subito al Manifesto di Marx o al Manifesto di Benedetto Croce o al Manifesto di Brunswick. Mai ai cosmetici che portano quel nome o all'omonimo giornale che dopo la vittoria elettorale di Bush fece quella figuraccia. Poi, spenta anche la smorfia di compassione, con un gesto di malinconico sgomento. Perché il Manifesto che non era il Manifesto di Marx né il Manifesto di Benedetto Croce né il

Manifesto di Brunswick ma agli italiani veniva presentato come se lo fosse portava l'imprimatur del ministro degli Interni Beppe Pisanu. Uomo noto per la sua prudenza e la sua abilità nel navigare le acque più innavigabili senza compromettersi. Ma, ricordandomi che la logica dei politici non corrisponde mai alla logica di Aristotele, il suo imprimatur diceva: «Sono convinto che in Italia si possa costruire *un Islam italiano di cittadini* consapevoli, titolari di uguali diritti e doveri, in una società aperta e pluralista». Così, preoccupata dall'espressione «Islam italiano» e insospettita dal vocabolo «cittadini», mi affrettai a leggere l'enfatico articoletto che introduceva la faccenda. E il malinconico sgomento si dissolse in una rabbia pari a quella che avevo provato l'Undici Settembre. E ululando come un lupo impazzito giurai che sul *Corriere* non avrei pubblicato più neanche il mio necrologio.

Perché?

Perché senza modestia alcuna l'enfatico articoletto introduttivo definiva quel Manifesto «un documento fondamentale». E il «documento fondamentale» aveva ben poco in comune con le sacrosante verità che l'onesto e coraggioso Abdel Rahman al-Rashed avrebbe lanciato due giorni dopo dalle colonne di *Asharq al-Awsat*. Lungi dal riconoscere che oggigiorno tutti i terroristi sono mussulmani, l'espressione «terrorismo islamico» v'era infatti accuratamente evitata. E con un'ambiguità che avrebbe mandato in bestia San Francesco, il titolo diceva: «Noi mussulmani d'Italia contro tutti i terrorismi». Così lasciando intendere quel che ho scritto prima, ossia che esiste anche un terrorismo cristiano o buddista o cinese o esquimese o svedese. Peggio: verso tutti-i-terrorismi i firmatari del Manifesto esprimevano sì una condanna compatta-totale-forte-assoluta-inequivocabile-decisa, (ben sei aggettivi). Però subito dopo cambiavano argomento. E dimenticando di spiegarci che diavolo fosse l'Islam moderato, nondimeno affermando che la-stragrande-maggioranza-dei-mussulmani-d'Italia-sono-moderati, svelavano il vero motivo della loro iniziativa: sollecitare la cittadinanza italiana pei nostri invasori. La sollecitavano con le seguenti e perentorie asserzioni. «Riteniamo che i tempi siano maturi affinché lo Stato e la società italiana considerino positivamente un'Italia plurale sul piano etnico e confessionale e culturale». (Sic). Oppure: «Solo chi opera sulla base della piena parità sul piano dei diritti e dei doveri può ergersi ad *artefice di questa nuova Italia*». Ed oltre: «Oggi i mussulmani non sono soltanto parte integrante della realtà economica e sociale d'Italia: sono anche *parte integrante del suo patrimonio spirituale*». Infine, con larvato ma innegabile ricatto: «Il rischio è che se abbandonati a sé stessi e in preda a una crisi d'identità taluni mussulmani, specie i giovani nati e cresciuti in Italia, possano finire soggiogati o cooptati dall'ideologia dei gruppi estremisti». Come dire: o ci dai la cittadinanza o vedrai che ti combiniamo. Posso continuare?

Continui, continui.

Bè... Nella speranza di scoprire quale fosse il *patrimonio spirituale* che l'Italia doveva ai suoi invasori e quali fossero le menti eccelse che senza formulare il concetto di Islam moderato chiedevano la cittadinanza per i mussulmani dell'Islam Moderato, esaminai i nomi dei firmatari. (Ventisei). Ma rimasi a bocca asciutta. Uno era il solito ambasciatore convertitosi all'Islam quando rappresentava la cattolica Italia all'Onu. Cioè quello che va in giro a raccontare di conoscermi da quarant'anni, di darmi addirittura del tu, ma io non ho mai avuto il dispiacere d'incontrarlo e qui lo sbugiardo. Uno era il vicepresidente del Coreis, l'associazione mussulmana di cui parlo ne *La Forza della Ragione* a proposito delle inaccettabili Bozze d'Intesa. Pure lui italiano e convertito. Uno era il Gran Maestro per l'Italia della Confra-

ternita Turca nonché Guida Spirituale della Tari-
qa Burhaniya Dusuqiya Shadhliya che non so co-
s'è e non voglio saperlo. Uno era il Coordinatore
Nazionale del Forum Fratelli d'Italia-Democrati-
ci di Sinistra, quindi suppongo un diessino. Uno
era un albanese che dirige il giornale degli albanesi. Uno era l'imam di Colle Val d'Elsa, ahimè.
Cioè colui che nel paesaggio chiantigiano di Duccio Boninsegna e Simone Martini e Ambrogio
Lorenzetti dirigerà la moschea col minareto alto
ventiquattro metri voluta anzi imposta dalla
Giunta diessina per i mussulmani di Siena e Provincia. (Anche di quella tragedia parlo a lungo ne
La Forza della Ragione, però lì non dico quel che
s'è scoperto soltanto ora. Cioè che a finanziare la
costruzione della moschea è il Monte de' Paschi
di Siena: la banca del fu Pci e dell'attuale Ds). Gli
altri erano persone di cui nessuno aveva mai sentito parlare. Ad esempio una signora mussulmana che si occupa dell'allattamento fatto al seno,
una che a Poggibonsi fa parte della Consulta Comunale, una che a Cremona sogna di diventar ca-
rabiniera, e il suo fidanzato presidente dei Giovani Mussulmani d'Italia. Così e stavolta nella
speranza di capire che cosa fosse l'Islam Moderato, presi a legger tutti gli articoli che il *Corriere*
pubblicava sull'argomento. Di solito grazie a un
giornalista mussulmano verso cui in passato nu-

trivo molta gratitudine perché su *Repubblica* attaccava gli imam che predicano la Jihad nelle moschee. Ma trovai solo commossi e ossequiosi ritratti dell'imam di Colle e dei due fidanzati di Cremona. Il primo, definito «uomo-tutto-d'un-pezzo ed emblema-della-forza-ideale-dell'ansia-in-gestazione d'una nuova identità che caratterizza il neonato movimento dei mussulmani moderati in Italia, nonché profeta di eccezionale coraggio». (Sic). I secondi, definiti «emblema della società civile mussulmana e gente per bene». (*N.d.R.* Si scrive «gente perbene». Quando si usa l'aggettivo, il *per* e il *bene* vanno attaccati: *perbene*. Quando si usa il sostantivo, lo stesso: *perbenismo*. Quando si usa l'avverbio, è meglio staccarli: *per bene*. Lo dice anche l'Accademia della Crusca). Sul magazine del giovedì trovai invece un servizio-copertina scritto da un giornalista meno entusiasta, meno ossequioso, nonché più disinvolto. E dal suo articolo risultava che l'imam di Colle Val d'Elsa è palestinese e nipote dell'uomo a cui si deve il partito comunista palestinese. Che tiene il Corano sempre rivolto alla Mecca ma alla Mecca non c'è ancora stato, che gli piacciono i film americani, che fa il fisioterapista e che per esercitare la sua professione spoglia le clienti con le sue mani. Alle clienti toglie addirittura il reggiseno. Non a caso si dichiara super-moderato, super-multiculturalizzato, super-integrato e davvero moderno. Però sua moglie rifiuta d'integrarsi. Non parla italiano, alla Tv guarda esclusivamente i canali arabi, e si veste come vuole il Profeta. Infatti al mare si tuffa con un pesante dishdasha, la testa coperta dal velo, i guanti, le scarpe, e ogni volta rischia d'andare a fondo: affogare in nome di Allah. Ma che cosa sia l'Islam moderato, un mussulmano moderato, a tutt'oggi non lo so.

Già: cos'è?

Boh! Lo chiedo a Lei. Per essere un mussulmano moderato basta non maneggiare esplosivi, non disintegrare alberghi e grattacieli, non ammazzare centocinquanta bambini o tremila persone per volta? Basta non suicidarsi con le autobombe, non rapire la gente inerme, non decapitarla, non sgozzarla, e non farsela con Bin Laden? E se basta, è moderato o no un mussulmano che non ha legami col terrorismo però si unisce ai delinquenti nostrani del dieci-cento-mille-Nassiriya e sventolando la bandiera arcobaleno bercia che bisogna tirare il collo anche alla Fallaci? È moderato o no un mussulmano che non ha legami col terrorismo però tiene due o tre mogli e le schiavizza, le umilia in ogni modo, le ripudia? È moderato o no un mussulmano che non ha legami col terrorismo però ignora che in Occidente picchiare la moglie e privarla della sua libertà è un reato punito dalla legge, sicché il Pm Roja di Milano passa le giornate a processare tunisini e algerini e marocchini e pakistani e nigeriani e senegalesi che hanno sposato donne italiane le quali si presentano all'udienza col volto tumefatto? È moderato o no un mussulmano che non ha legami col terrorismo però ammazza a bastonate la figlia diciannovenne perché si rifiuta di sposare l'uomo da lui scelto per lei? (Mi riferisco al cinquantaduenne Mohammed Lhasni di Grantorto a Centocelle in provincia di Padova, operaio marocchino con regolare contratto di lavoro e regolare permesso di soggiorno, che bastonava a morte sua figlia perché lei voleva portare i blue-jeans e andare al cinema e vedere le amiche. E che la scorsa estate la rinvoltò in un tappeto, sotto gli occhi delle non efficaci guardie di frontiera la portò in Marocco, la promise in sposa a un tale che lei non aveva mai visto, e al ritorno la ammazzò per il motivo che ho detto). È moderato o no un mussulmano che non ha legami col terrorismo però quando una scolara offre a suo figlio una frittella di riso al marsala corre infuriato dalla preside e le fa una scenata, le ingiunge di non far portare a scuola quel cibo inquinato dall'alcool? (Mi riferisco alla storia che grazie al liceale di Castelfiorentino racconto in questo libro e che è diventata la mia fissazione). È moderato o no un mussulmano che non ha legami col terrorismo, che si definisce super-moderato, che in quanto fisioterapista aiuta le clienti a spogliarsi e perfino a togliersi il reggiseno, però induce la Giunta diessina a profanare il paesaggio di Simone Martini e Duccio Boninsegna e Ambrogio Lorenzetti con una moschea e un minareto alto ventiquattro metri? È moderata o no una mussulmana che non ha legami col terrorismo però rifiuta il nostro sistema di vita, non vuole imparare neanche l'italiano, e al mare si tuffa imbacuccata come un cacciatore dell'Alaska?

Secondo me, no.

Neanche secondo me. Posso continuare?

Continui, continui...

È moderata o no una mussulmana che non ha legami col terrorismo però pretende di portare il burkah cioè un indumento proibito dalle nostre leggi sulla Sicurezza in quanto impedisce di identificare chi lo porta e sotto quel sudario puoi nascondere mezzo quintale di tritolo o un cannoncino? (Mi riferisco alla signora di Drezzo, provincia di Como, che il sindaco leghista faceva multare dai vigili urbani. Così lei si rivolse al presidente della Repubblica e, senza tenere alcun conto della legge appena confermata dalla Corte di Cassazione, il presidente della Repubblica le fece rispondere che in Italia c'è libertà di culto. Cosa che, se non sbaglio, significa: porta-il-tuo-burkah-quanto-ti-pare-e-piace). E dulcis in fundo: sono moderati o no i mussulmani che non hanno legami col terrorismo e dicono di voler rispettare le nostre leggi, però ubbidiscono al Corano che nove casi su dieci è la negazione assoluta delle nostre leggi? Sempre sul *Corriere della Sera*, un mese dopo il colpaccio dell'insensato Manifesto, il giornalista del «per bene» toccò questo punto che è la summa di tutti i punti. E da mussulmano in bilico tra l'Occidente e l'Islam, il cervello in Occidente e il cuore in Islam, cercò di correre ai ripari contestando l'edizione del Corano che viene letto nelle comunità gestite dall'Ucoii. Edizione in cui si evidenzia (uso le sue parole) una forte ostilità ideologica contro la civiltà occidentale. In particolare, contro gli ebrei e i cristiani e le donne emancipate. Quindi del tutto in contrasto (dico io) con la cultura dell'Occidente. Una cultura che predica la libertà, che abbatte i tabù, che ci porta sugli altri pianeti... La contestò perché è un'edizione che si rifà al Corano tradotto dall'arabo antico e di conseguenza zeppo di Sure che raccomandano le punizioni corporali, esaltano la Jihad intesa come Guerra Santa, invocano la punizione divina sugli ebrei e sui cristiani, impongono la struttura familiare islamica, elogiano la poligamia. Nonché esasperate da commenti di questo tipo: «Per gli ebrei e i cristiani il mussulmano che non si eccita per una diva del cinema, che non provoca una rissa, che in compenso si ribella a una legge emessa dagli uomini e di conseguenza in contrasto con le leggi di Dio, è un uomo cattivo. E raramente quell'uomo "cattivo" gli piacerà. Siano essi capitalisti o marxisti, liberali o radicali, omosessuali o femministe». Questo non favorisce la convivenza, ammise il giornalista. Giova agli integralisti e rende il Sacro Libro incompatibile con lo Stato di Diritto. Poi, quasi con candore, invitò i mussulmani a leggere un altro Corano, meglio tradotto e meglio commentato anzi contestualizzato: il Corano edito dalla Rizzoli (che come tutti sanno è la casa editrice del *Corriere*). Infine, quasi con le lacrime agli occhi: «Possibile che nelle moschee e nella società italiana s'imponga un'immagine così oscurantista, così aggressiva, così intollerante, così misogina, del Corano e dell'Islam?». Parlò addirittura di Islam tradito. E questo mi disturbò quasi più del «documento-fondamentale», degli Imam che erigono le moschee nel Chianti, dei moderati che ammazzano la figlia in blue jeans, dei...

Perché?

Perché non si può purgare l'impurgabile, censurare l'incensurabile, correggere l'incorreggibile. Ed anche dopo aver cercato il pelo nell'uovo, paragonato l'edizione della Rizzoli con quella dell'Ucoii, qualsiasi islamista con un po' di cervello ti dirà che qualsiasi testo tu scelga la sostanza non cambia. Le Sure sulla Jihad intesa come Guerra Santa rimangono. E così le punizioni corporali. Così la poligamia, la sottomissione anzi la schiavizzazione della donna. Così l'odio per l'Occidente, le maledizioni ai cristiani e agli ebrei cioè ai cani infedeli. Così l'incompatibilità fra la teocrazia e lo Stato di Diritto. Inutile arrampicarsi sugli specchi: il Corano non è ciò che lui vorrebbe ossia un libro da interpretare a seconda delle circostanze e di quel che ci fa comodo. Il Corano è ciò che è. E i fondamentalisti, gli integralisti, non sono il suo volto degenere. Sono il suo vero volto, il suo volto fedele. Ergo, un buon mussulmano non può esser moderato. Non può accettare lo Stato di Diritto, la libertà, la democrazia, la nostra Costituzione, le nostre leggi. L'Islam moderato non esiste.

Il nostro presidente della Repubblica dice che esiste. Ventiquattro ore dopo il terzo anniversario dell'Undici Settembre ospitò al Quirinale una delega-

*zione composta da sette dei ventisei firmatari. Tra i
sette, l'imam di Colle Val d'Elsa. E rimase ben
quarantacinque minuti con loro.*

Eh, sì... Sette come le sette teste del Mostro venuto dal mare. Onorate per quarantacinque minuti
cioè un tempo tre volte più lungo del quarto d'o-
ra che aveva concesso a Bush cioè al presidente
della più grande democrazia del mondo, del paese che nella Seconda Guerra Mondiale salvò l'intero Occidente sicché senza i suoi 299.000 morti
oggi marceremmo tutti a passo d'oca. Non avremmo la Libertà. E sulla prima pagina del *Corriere* il
titolo fu ancor più pomposo anzi ancor più impu-
dico: «L'incontro storico con l'Islam italiano».
Non volevo crederci. Perché non mi risultava che
al Quirinale si fosse mai ricevuto una delegazione
di ebrei in quanto ebrei, o di buddisti in quanto
buddisti. O di luterani o valdesi o evangelici o
greco-ortodossi in quanto luterani o valdesi o
evangelici o greco-ortodossi. Certe iniziative spettano al Vaticano: sì o no? Del resto se ne accorse
anche il giornalista del «per bene». La sua cronaca diceva: «Per la prima volta un Capo dello Stato
ha ricevuto una delegazione di mussulmani». Tre
giorni prima, a Bagdad, i correligionari dei sette
avevano rapito due pacifiste legate l'una ai Ds e
l'altra a Rifondazione Comunista: è vero. Bisogna-

va salvarle, fare ciò che non era stato fatto per Quattrocchi e nemmeno per Baldoni, quindi lo Storico Incontro poteva servire: lo capisco. Però e sia pure informandoci che buona parte dei quarantacinque minuti era stata dedicata al problema delle due pacifiste, il giornale che per oltre un secolo era stato il giornale più prestigioso e rispettato d'Italia si preoccupò soprattutto di sottolineare «l'alto valore simbolico che l'evento assumeva per lo Stato italiano». (Sic). Parlò di «svolta». (Sic). Parlò di «aspirazioni». (Sic). Disse che Ciampi aveva «voluto porgere una mano ai mussulmani moderati, *privilegiare* il dialogo con loro». Nell'euforia, nell'enfasi, usò addirittura il termine «salto di qualità». Manco fosse stata la Conferenza di Yalta. Manco fosse stato l'incontro di Cavour e Napoleone III a Plombières. (Con l'imam di Colle Val d'Elsa al posto di Cavour). E va da sé che un mese dopo accadde qualcosa di ancor più grave: la dichiarazione che in perfetta sintonia col ministro degli Interni quindi col governo e ovviamente con la Sinistra, il presidente della Repubblica fece dinanzi ai microfoni e alle macchine da presa della Tv. Quella in cui disse che gli immigrati non sono abbastanza, che c'è bisogno di loro, che chi ha un regolare contratto di lavoro fa bene a venire. E che per i già venuti era anzi è auspicabile che si affrettino i procedimenti necessari a concedergli la cittadinanza. Purché abbiano il regolare contratto e una buona-conoscenza-della-lingua-italiana.

E come reagì, stavolta?

Mi caddero le braccia. Mah! Ero stata tanto contenta quando era diventato presidente della Repubblica. Così contenta... Ecco uno che non ci darà dispiaceri, m'ero detta. Da New York gli avevo anche scritto una letterina dove parlavo della Resistenza. Lui mi aveva risposto con una letterona dove parlava del Risorgimento, e fino all'autunno del 2002 quando invano lo avevo sollecitato a difendere Firenze minacciata dai no-global che volevano sporcare i monumenti del Centro Storico, da lui non avevo ricevuto forti dispiaceri. Dopo, m'aveva deluso soltanto il modo in cui s'era vendicato del mio piccolo attacco sul *Corriere*. Voglio dire il fatto che all'Università di Firenze si fosse divertito a parlare di «fallaci inganni, fallaci illusioni». Non m'era parso dignitoso, degno d'un capo di Stato. Quanto agli scarni quindici minuti che aveva concesso a Bush in visita ufficiale a Roma, m'avevano turbato: sì. Vi avevo visto una grossa sgarberia, un grave gesto di ingratitudine verso il paese cui dovevamo la vittoria sul nazifascismo. Quindi la nostra libertà.

M'era parsa, inoltre, una prova di debolezza vis-à-vis dei mascalzoni che contro Bush manifestavano inneggiando a Saddam Hussein. Ma quel venite-venite, se-venite-vi-diamo-la-cittadinanza, le superò tutte. Mi ferì a morte. Me lo inserì in ciò che chiamo la Triplice Alleanza cioè l'alleanza della Destra e della Sinistra e della Chiesa che insieme hanno spalancato le porte allo straniero, hanno avviato l'Incendio di Troia, hanno trasformato l'Europa in Eurabia. E disperata pensai che no, non stavo ascoltando Carlo Martello a Poitiers. Non stavo ascoltando El Cid Campeador a Valencia. Non stavo ascoltando Giovanni Sobieski sotto le mura di Vienna. E tantomeno stavo ascoltando Leonida alle Termopili. Non ero, no, nella Francia del 732 d.C. O nella Spagna del 1094, o nell'Austria del 1683. E tantomeno nella Grecia del 480 a.C. Ero nell'Italia del 2004, un'Italia dove lo straniero contava più del cittadino e l'Inno di Mameli si cantava solo alle partite internazionali di calcio. Poi pensai che il Mostro a sette teste e dieci corna aveva davvero vinto, stravinto, e mi sentii molto sola. Sconfitta e sola.

Woop!

Ma sa che non ho mai capito come si traduce woop?

Neanch'io. Con un «perbacco!», forse. O un «acci-
denti!». Comunque sulla faccenda dei mussulmani
moderati devo porle un'ultima domanda, anzi ri-
volgerle un'ultima provocazione. L'Islam modera-
to non esiste, ne convengo. Ce lo siamo inventato
noi occidentali col nostro ottimismo. Il nostro libe-
ralismo. Ma mussulmani moderati esistono.

Certo che esistono. Ovvio che esistono. Anche
secondo il matematico calcolo delle probabilità
devono esistere. Pensi al mio amato Abdel Rahman al-Rashed. Ma sono una minoranza esigua.
Così esigua che fare assegnamento su loro, sperare che possano cambiare il mondo al quale appartengono è pura utopia. Apra gli occhi: nove casi
su dieci gli Abdel Rahman al-Rashed stanno al cimitero o in prigione. Qui, ad augurarsi di morire
presto. Nei loro paesi non hanno alcun peso, non
contano nulla, sono ignorati. Inclusi i paesi che
sembrano di manica larga come l'Egitto o la Tuni-
sia o l'Algeria, ma quella manica-larga è una fandonia dimostrata dalla loro mancanza di democrazia. Cara amica, al di là dell'Occidente esiste un'u-
nica democrazia ed è la democrazia che governa
Israele. A volte stanno anche da noi, è vero. In
America o in Europa dove sono scappati per sfuggire alle prigioni e ai cimiteri. Intellettuali, nove
casi su dieci. Letterati, scienziati. Qualche artista.

Ma da noi vivono nel Limbo degli esuli che non sono più né carne né pesce. Ed anche se ognitanto scrivono il libro o l'articolino contro chi li ha costretti a scappare, servono a ben poco. Hanno troppa paura di esporsi, di mettere in pericolo i parenti rimasti in patria o d'essere uccisi all'estero da qualche sicario. Quasi ciò non bastasse, le masse ignoranti e bigotte che da noi ci sono venute in cerca di fortuna, non di libertà, li disprezzano. Non li ascoltano, non li leggono, non li frequentano. Addirittura li chiamano traditori, spergiuri, apòstati, e in certo senso lo sono. Perché da noi mangiano il prosciutto, bevono il vino, ascoltano la musica, rispettano le donne, vanno poco o non vanno affatto alla moschea, spesso non osservano il Ramadan. Cambiano, insomma. Diventano mussulmani non più mussulmani, scoprono che Ernest Renan aveva ragione a sostenere che l'Islam è il regno del dogma assoluto. La più pesante catena che sia stata imposta al genere umano. Dimentichi Abdel Rahman al-Rashed. Lui non è un vero mussulmano. È un tipo come me. Un fuorilegge, un eretico. Una mosca bianca che prima o poi schiacceranno con lo schiacciamosche. Sa chi è un vero mussulmano? Il presidente dell'Associazione Scrittori Siriani che al Convegno di Damasco declamò: «Quando sono crollate le Due Torri ho sentito ciò che credo si senta a resuscitare.

A uscire dalla tomba dentro cui siamo stati sepolti. M'è parso di salire in cielo, di volare sopra il cadavere della potenza imperialista americana, i miei polmoni si sono riempiti d'aria e ho respirato dolcemente. Ho goduto come non avevo mai goduto». È l'ex-imam di Cremona, quel Najib Rouass che l'8 dicembre 2003 venne arrestato perché nella moschea di Cremona la Jihad la predicava così: «Che la nostra religione diventi una spada per spazzar via i cristiani. Che la terra crolli sotto i loro piedi come un terremoto. Che bombe esplodano su di loro e i loro figli. Che Allah li cancelli dalla faccia della Terra». È lo sceicco Yusuf al-Qaradawi, il super-ossequiato teologo che dopo l'Undici Settembre la Comunità di Sant'Egidio invitò al Summit di Roma insieme al presidente emerito del Pontificio Consiglio per la Giustizia e la Pace. Che dagli schermi di Al Jazeera sprona i macellai ad ammazzarci, che della nostra dabbenaggine si serve per tenere a Londra le proprie figlie, come ha svelato Abdel Rahman al-Rashed, e che nel maggio del 2003 ha cancellato il tabù delle donne kamikaze. Fino a quel momento in vigore perché stando al Corano una donna non può uscir di casa sola e perché, a finir smembrato, il suo corpo rischia di mostrare le parti intime. «In nome della Jihad autorizzo le donne a partire in missione suicida anche senza il permesso del marito o del padre o del figlio. In tale circostanza una donna può tener la testa scoperta e non essere accompagnata da uno stretto congiunto».

Vorrei che si sbagliasse.

Lo so. E nessuno può capirlo meglio di me, visto che Lei è me. Vorrei sbagliarmi anch'io. Se mi sbagliassi, morirei in pace. Ma purtroppo non sbaglio. Ogni giorno i fatti mi danno ragione. Ogni giorno! La conferma che non esagero, che non ho mai esagerato, ora mi viene anche da Bernard Lewis: il vecchio saggio che chiamano lo storico dell'Islam. Ha letto l'intervista che lo scorso luglio dette a un giornale tedesco? Sa che vi dice Bernard Lewis? Vi dice che molti occidentali si illudono che l'Islam radicale non sia una minaccia estesa al futuro, che anzi sia il Sole-che-brilla-sull'Occidente, il sole di cui parlava la nazista Sigrid Hunke, perché l'Islam radicale esercita su di loro una forte attrazione. La stessa che su di loro esercitava il comunismo. Vi dice che a causa di ciò la nostra vittoria su Al Qaida non è affatto certa e che il futuro islamico dell'Europa è inevitabile. Vi dice che entro la fine del 2100 l'Europa sarà tutta o quasi tutta mussulmana, quindi parte dell'Occidente Arabo ossia del Maghreb. E sa come ha commentato questa profezia il mussulmano-moderato Bassam Tibi cioè il rappresentante ufficiale dell'Islam moderato in Germania? L'ha commentata dicendo: «Il problema non è stabilire se a diventar mussulmani sarà la maggioranza o la totalità degli europei. Il problema è chiedersi se l'Islam destinato a dominare l'Europa sarà l'Islam della Sharia o l'Euroislamismo».

Agghiacciante. Specialmente ora che la Turchia vuole far parte dell'Unione Europea. Anzi ora che i nostri califfi e i nostri visir sono pronti ad accettarla. Però molti italiani non l'hanno capito. I più credono che la Turchia sia una squadra di calcio o un posto per andare in vacanza a visitare il museo Topkapi, e sottovalutano la situazione in maniera suicida. Mi dica: se fosse una maestra di scuola e dovesse spiegare questa follia agli alunni d'una quinta elementare, come lo farebbe?

Bè, pressappoco così. Cari bambini, gli direi, la Turchia è un posto che non fa parte dell'Europa. Con l'Europa non c'entra proprio nulla. Perché è un paese geograficamente e culturalmente medio-rientale, al novantanove per cento mussulmano. Novantanove, sì. Noi invece siamo occidentali e, comunque la pensino i califfi e i visir dell'Eurabia, ossia quelli che hanno steso la Costituzione

Europea, siamo di conseguenza cristiani. Due cose che vanno poco d'accordo. Il Papa dice che possono andare d'accordo perché sia i cristiani che i mussulmani credono in un Dio e basta, ma la faccenda del Dio unico si basa su un frainteso che qualsiasi teologo vi spiegherà, e lui ci si attacca per pura disperazione. La Turchia nacque verso l'Undicesimo Secolo, quando i turchi selgiuchidi e ottomani e turkmeni si installarono in Anatolia e insieme alla loro lingua vi imposero il Corano. Disgrazia alla quale sopravvissero solo alcune minoranze come i curdi e gli armeni. Comunque oggi gli armeni non ci sono più. Siccome in gran maggioranza erano cristiani, un po' per volta i turchi li hanno fatti fuori come agnelli per la festa del Ramadan. Quanto ai curdi, bè: se sei un curdo in Turchia, è meglio che tu vada a vivere da un'altra parte. La Turchia è l'erede dell'Impero Ottomano, il gran regno che spinto dal sogno d'espandersi in Europa nel 1300 si insediò a Gallipoli cioè sui Dardanelli. Di lì mosse alla conquista della Tracia e della Macedonia poi della Grande Serbia, della Bulgaria, della Romania, dell'Ungheria, e passo dopo passo giunse a Vienna. Per ben due volte la mise sotto assedio. La seconda volta nel 1683 con seicentomila uomini scortati da migliaia e migliaia di cavalli, bovi, capre, cammelli, harem pieni di mogli nonché di concubine. E menomale che in nome di Gesù Cristo noi si riuscì a respingerli. Del resto due secoli prima cioè nel 1453, quell'impero aveva tolto di mezzo Costantinopoli per chiamarla Istambul e trasformare le chiese in moschee. Tutte cose di cui i turchi non si sono mai dimenticati e alle quali guardano con gran nostalgia. Il guaio è che non ce ne siamo dimenticati neppure noi. Infatti per esprimer sgomento o terrore in Italia si dice ancora «Mamma li turchi». Però voi state attenti, bambini. Se lo dite, i padroni del Politically Correct, e in particolare dell'Ulivo che è un vegetale simbolo di Pace e Fratellanza, vi danno subito di razzisti. Tempo fa a Strasburgo il mamma-li-turchi scappò a Mortadella che è amicissimo dei turchi, e mancò poco che finisse in galera. Cioè dove vorrebbero mandare me che passo la vita a dire mamma-li-turchi.

E se i bambini non capiscono?

Capiscono, capiscono. I bambini capiscono sempre. Sono gli adulti che non capiscono, o fingono di non capire. Specialmente se sono italiani o francesi o inglesi o spagnoli o tedeschi eccetera. Mi lasci proseguire. Cari bambini, l'Impero Ottomano finì se Dio vuole con la Prima Guerra Mondiale. E nel 1924 un generale turco che si chiamava Mustafa Kemal Atatürk fece una rivoluzione coi fiocchi. Davvero imprevedibile in quel posto lì. Chiuse gli harem, tolse il velo alle donne e il fez agli uomini, abolì la poligamia. Scelse il calendario gregoriano, adottò l'alfabeto latino, e liquidò tutti gli ordini religiosi incominciando dai dervisci. Strani preti che per pregare Allah urlano e girano su sé stessi a mo' di trottola. Spazzò via, insomma, il giogo dell'Islam in ogni sua forma e colore e al suo posto installò uno Stato rigorosamente laico. Uno retto su una Costituzione di tipo occidentale quindi su un Parlamento eletto, e per oltre mezzo secolo la cosa funzionò. Ricordo come rimasi impressionata quando, per un reportage sulle donne, nel 1959 cioè da giovane feci tappa ad Ankara. Qui vidi coi miei occhi che davvero le turche avevano il capo scoperto ed erano vestite proprio uguale a me. Cari bambini, ve lo assicuro: fino a una ventina di anni fa era così istericamente laica, la Turchia, che quando papa Wojtyla si recò in visita ufficiale a Istambul ed Ankara e Smirne i turchi lo trattarono malissimo. Niente ricevimenti, niente inchini, niente Messe celebrate dinanzi a folle oceaniche, e al loro posto un gelo così gelido che a Sua Santità venne quasi la polmonite. Del resto vent'anni fa la Turchia non si lasciò sedurre nemmeno da Khomeini: il papa mussulmano che cacciato lo scià Reza Pahlavi faceva fucilare o lapidare o sgozzare chiunque non lo seguisse, e che subito impose di nuovo il chador alle donne. Pensate che, durante il regno di Khomeini, in Turchia le turche si davano addirittura alla politica. Diventavano ministre come Meral Aksener e la tremenda Tansu Ciller che coi suoi intrighi e i suoi abusi avrebbe scandalizzato perfino Lucrezia Borgia. E pazienza se soprattutto fuori delle città le altre turche venivano trattate peggio che in Iran. Pazienza se chi comandava in Turchia era in realtà l'Esercito. E con mano molto, molto pesante: certi ceffi, tra i suoi generali, che paragonati a loro i tagliateste d'oggi sarebbero sembrati pacifisti veri. Pazienza se in tale democrazia vigeva la tortura e le prigioni erano identiche a quelle di *Midnight Express*: il film americano da cui risulta che in Turchia puoi sopportar tutto, proprio tutto, fuorché finire in prigione. Pazienza se verso noi europei i turchi avevano una specie di rancore e l'ex-premier Erbakan, leader del Partito della Virtù, diceva: «L'Europa è una cricca di cristiani che vogliono la nostra morte». Pazienza se nell'isola di Cipro divisa in due, mezza greca e mezza turca, le truppe del summenzionato esercito si comportavano parecchio male. Forse non dovrei dirvelo, bambini: ma nel 1974, cioè quando invasero la zona greca, a Cipro accaddero cose davvero turche. Dentro una casa, ad esempio, un soldato turco stuprò e poi uccise una nonna di settantaquattr'anni e il suo nipotino di dodici. Dico «pazienza» non perché fosse il caso d'avere pazienza bensì perché lo dicevano i politici. E il motivo per cui lo dicevano era che la Turchia teneva testa all'Unione Sovietica, manteneva buoni rapporti con Israele, e dal 1952 era nella Nato. Secondo i politici, queste tre cose bastavano a considerar la Turchia un'appendice dell'Occidente. Una squadra di calcio, un posto per andare in vacanza e visitare il museo Topkapi. Ma poi le cose cambiarono. Indovinate perché.

Perché se una rosa è una rosa è una rosa, come diceva Gertrude Stein, il Corano è il Corano è il Corano! E nonostante la rivoluzione laica di Atatürk in Turchia successe quel che nonostante l'occidentalismo dello scià Reza Pahlavi era successo in Iran. L'Islam si risvegliò. Si risvegliarono i mullah, si riaprirono le moschee che del resto non avevano mai chiuso i battenti, e a poco a poco le nipotine delle donne che nel 1924 s'erano tolte il velo rimisero il velo. I loro fratelli rimisero il fez. Poi venne Bin Laden. Venne l'Undici Settembre. Superato l'istante di smarrimento il nostro Siamo-Tutti-Americani diventò Siamo-Tutti-Mussulmani, e alle elezioni del 2002 si presentò un mussulmano «moderato»: Recep Tayyip Erdogan.

Esatto. Così moderato che per eccessi di fanatismo integralista era stato quattro mesi in prigione. Così moderato che durante gli attacchi kamikaze scatenati nel 2003 ad Ankara non avrebbe mai pronunciato il termine «terrorismo islamico». Anche lui avrebbe detto «terrorismo» e basta. Al massimo, «terrorismo religioso». Così moderato che sarebbe stato il primo a voler rimettere nel Codice Penale il reato di adulterio. Così moderato che da anni manda le figlie a studiare negli Stati Uniti «dove ci sono College nei quali si accetta l'uso del velo, simbolo della tradizione mussulmana». Così moderato che la moglie (e ispiratrice) Emine il velo lo porta da sempre e sollecita fatwe contro chi amoreggia prima del matrimonio. Così moderato che adotta l'islamico Principio delle Due Verità, (la verità che un mussulmano racconta a sé stesso e la verità che racconta ai cani-infedeli insomma il Principio della Menzogna), e non si offende quando lo definiscono Giano Bifronte. Si presentò col Partito Islamico, alias Partito della Giustizia e dello Sviluppo, fondato dal Partito del Benessere (sic) che all'Estrema-Destra rappresenta-il-proletariato-turco (sic). Condusse la campagna elettorale rivolgendosi soprattutto alle donne, e ogni suo comizio conteneva la seguente frase: «In molti paesi chi vuol portare il velo lo porta. In molte parti della Turchia, paese al novantanove per cento mussulmano, invece non si può. Questa faccenda deve cambiare». Vinse col 34 per cento dei voti. Cosa che grazie a una legge balorda gli attribuì il 66 per cento dei seggi. Ma qui ci stiamo dimenticando dei bambini!

Pazienza...

No, no, mi lasci riprovare. Tanto, gliel'ho detto: i bambini capiscono più dei grandi. Cari bambini, la Turchia non più laica regalò una tale vittoria al Giano Bifronte che nemmeno l'esercito dei generali dinanzi ai quali perfino i tagliateste d'oggi sembrano pacifisti veri poté farci nulla. Peggio. Appena eletto lui si tuffò nell'impresa che i suoi laici predecessori non erano riusciti neanche ad avviare: condurre la Turchia nell'Unione Europea. Si rivolse a Chirac cioè a quello che dice le-radici-dell'Europa-sono-tanto-cristiane-quanto-mussulmane, porse i suoi omaggi a Schröder cioè a quello che di turchi ne ha più della Turchia, invitò Berlusconi alle nozze del suo primogenito, e appoggiato anche da quest'ultimo che l'allargamento-di-mercato lo vede perfino sulla Luna anzi sulle lune di Saturno, presentò regolare richiesta al Consiglio d'Europa. Questo la passò alla Commissione Europea cioè a Mortadella, dimentico del mamma-li-turchi, Mortadella gli suggerì di rifarsi una verginità cioè di effettuare qualche riforma nel campo-dei-diritti-umani-e-civili, a rotta di collo lui ubbidì costringendo il Parlamento a fare le cosiddette Leggi di Armonizzazione e... Ma qui devo smetterla davvero di parlare ai bambini. Ho già commesso l'errore di raccontargli la storia di Cipro cioè del soldato turco che stupra poi ammazza sia la nonna che il nipotino, e quest'altre brutte cose i bambini non devono udirle.

A chi parla, dunque?

A Lei, a me stessa. E a coloro che non sanno o fingono di non sapere. Nonché ai cinici e agli scriteriati che favorendo l'ingresso della Turchia non si rendono conto d'assecondare il sogno dell'Impero Ottomano. Il sogno che Solimano il Magnifico inseguì tutta la vita e a causa del quale invase l'Ungheria, entrò in Austria, e nel 1529 realizzò il primo assedio di Vienna. Il sogno che suo figlio Selim l'Ubriacone portò avanti conquistando la cristianissima Cipro e che nel 1571 le repubbliche e i ducati e i granducati d'Italia fermarono con la Spagna e Malta e il Papato a Lepanto. Il sogno che nel 1683 Kara Mustafa infranse a Vienna ma che neppure allora si spense. Intendo dire il

sogno di realizzare lo «Stato Islamico d'Europa».
D'accordo, i tempi sono cambiati. Le armate dell'Impero Ottomano non esistono più. La Turchia
è nella Nato e, visto che l'Europa non ha un esercito, se Erdogan cambiasse idea potremmo sempre chiedere aiuto ai vituperatissimi americani.
Non è sempre a loro che ci si rivolge quando fa
comodo? Non sono sempre loro che vanno a morire per gli altri? Per noi sono già morti due volte,
incominciando dalla Prima Guerra Mondiale.
(Centosedicimilacinquecentosedici soldati). Ma
per dar corpo al sogno di Solimano il Magnifico,
per realizzare il suo «Stato Islamico d'Europa» le
armate non servono. Oggi la conquista è di tutt'altra natura. È una conquista religiosa, culturale.
Più che a occupare il territorio mira a impadronirsi delle anime con principii che non sono i nostri principii, concetti che non sono i nostri concetti, costumi che non sono i nostri costumi, brutture che non sono (o non sono più) le nostre brutture, e Cristo! Come si fa a prenderci in casa un
paese che al novantanove per cento è mussulmano?!? Come si fa a portare in Occidente sessanta
milioni di turchi non in regola coi più ovvii diritti
umani che il mondo moderno riconosca e protegga?!? Il rapporto che Amnesty International ha
emesso dopo le «Armonizzazioni» imposte da Erdogan fa rabbrividire. Gente arrestata, torturata,

uccisa con sevizie ancora in vigore grazie a leggi simili a quelle emendate o annullate. Interrogatorii condotti con le scariche elettriche, sospensione per le braccia legate a una corda che pende dal soffitto, molestie sessuali, carcere senza sonno e senza cibo, falaka cioè bastonate sulla pianta dei piedi. (La falaka può sembrare meno feroce. Ma otto anni dopo averla subìta ad opera della polizia greca, cioè d'una polizia inquinata da quattro secoli di dominazione turca, Alekos Panagulis zoppicava ancora. Leggermente, ma zoppicava. E un giorno mi disse: «È una cosa terribile, sai, la falaka. Perché ad ogni bastonata il dolore ti arriva al cervello come un ferro rovente e alla fine impazzisci, vorresti confessare tutto»). Il rapporto parla anche di persone rapite da agenti in borghese, tenute in prigione senza capi d'accusa e senza avvocato, e qui torturate nei modi suddetti. Parla anche di gravi limiti posti alla libertà di parola o di stampa, e quanto alle violenze sulle donne... Quelle incominciano nell'ambito familiare dove sono inflitte dai padri e dai mariti e dai fratelli, spiega. Di solito, per punire i «crimini d'onore» e per imporre i matrimoni rifiutati o precoci. Vanno dalle percosse all'omicidio, e spesso l'omicidio viene contrabbandato come suicidio. Ascolti il seguente passaggio: «In Turchia la pratica d'uccidere le figlie ribelli o costringerle a suicidarsi è ampiamente tollerata e persino approvata dai leader delle comunità locali. Questo, anche ai più alti livelli del potere esecutivo e giudiziario. Di rado le autorità conducono indagini serie su quei casi di omicidio o apparente suicidio». Del resto per capire come vengono trattate le donne nella Turchia che s'è riconsegnata al Corano basta pensare al caso che racconto ne *La Forza della Ragione*. Quello della trentacinquenne Cemse Allak stuprata e messa incinta da un bruto, e a causa di ciò lapidata a morte dalla famiglia. (Risposta data dalla cognata al giornalista inglese che la intervistava: «Che dovevamo fare? Era zittella e aveva perso l'onore. Stupro o no, aveva disonorato anche noi»).

Basta anche il caso che lo scorso luglio avvenne lungo la spiaggia di Smirne.

Sì. Quello delle cinque sedicenni che s'erano recate con le maestre e l'insegnante di religione a fare una gita scolastica al mare. Che eludendo la loro sorveglianza entrarono in acqua col chador. Che a causa del chador furono travolte dalle onde. E che i bagnini pronti a tuffarsi non poteron salvare perché l'insegnante di religione glielo impedì. «Fermi tutti. Non toccatele. Il Corano lo proibisce». Le poverine annaspavano, gridavano,

imploravano aiuto, e lui ripeteva il-Corano-lo-
proibisce. Così i bagnini non osarono disubbidir-
gli, le lasciarono affogare. (Più o meno, ciò che
tempo fa accadde in Arabia Saudita dove per non
offendere il Corano i pompieri lasciarono brucia-
re trentasei donne in un incendio). Dopo la morte
delle cinque sedicenni, a Smirne non ci fu neppure una denuncia per mancato soccorso. E quando
il quotidiano *Hurriyet* pubblicò la notizia, Erdogan si guardò bene dall'aprir bocca. Sua moglie,
idem. Sì, lo so: qualche discepolo di Atatürk c'è
ancora. C'è anche il suo partito che non conta più
nulla. C'è anche il suo esercito che ormai conta
pochissimo. Nondimeno la realtà della Turchia ri-
consegnatasi al verbo del Profeta è questa, e dimostra in maniera inequivocabile le bugie dell'I-
slam moderato.

*Ne convengo, e qualcosa qui non torna. Ma al mo-
mento di emettere il giudizio favorevole alla candidatura della Turchia, la Commissione Parlamentare Europea lo conosceva o no il rapporto di Amnesty International?*

Certo che lo conosceva. L'olandese Fritz Bolke-
stein e l'austriaco Franz Fischler, due dei pochi
parlamentari che definivano quella candidatura
«euro-incompatibile», lo avevano subito conse-

gnato a Mortadella. Suppongo che Mortadella conoscesse anche la storia delle cinque sedicenni affogate: tutti i giornali ne avevano parlato. Tutti. Eppure quel giudizio favorevole lo emise. Dichiarò che nonostante alcune «zone d'ombra» la Turchia soddisfaceva in «modo sufficiente» i criteri politici richiesti dai parametri di Copenaghen e concluse: «Quasi all'unanimità la Commissione raccomanda ai Capi di Stato e di Governo d'aprire i negoziati necessari ad accettare la candidatura. Nel frattempo, e visto che certe riforme non sono state effettuate, continueremo a monitorare i progressi». Parole per cui Erdogan lo ringraziò calorosamente. Sia pur torcendo il naso per il continueremo-a-monitorare, in patria si vantò addirittura d'aver ottenuto il «semaforo verde»... Come andrà a finire? Non lo so. Qualcuno deve ancora dirmi il vero motivo per cui dalla soi-disant Costituzione sono state tolte le radici cristiane... In omaggio al laicismo, anzi all'opinione che i nostri califfi e i nostri visir hanno del laicismo, oppure in omaggio alla mussulmana Turchia? Però so che di amici impazienti d'allargare-il-mercato, cioè estenderlo alla Turchia, il Giano Bifronte ne ha parecchi. Soprattutto in Francia e in Germania. Anche se la candidatura venisse respinta, quelli s'inventerebbero subito un modo per accettarla prima o poi sottobanco. Gli eredi

dell'Impero Ottomano ci tengono troppo a riprendere l'egemonia del Mediterraneo, e l'Eurabia è troppo asservita al Mostro venuto dal mare.
È troppo asservita anche alla paura e alle illusioni. L'illusione che la Turchia serva a frenare l'offensiva di Bin Laden, anzitutto. La paura che ri-
corra al ricatto già pronto. «Non ci volete? E noi
passiamo dall'altra parte, assumiamo anzi riassu-
miamo la leadership del mondo arabo». Ma il nostro futuro non può essere gestito da certa gente.
È il popolo che deve gestirlo. Forse sulla faccenda
della Turchia ci vorrebbe davvero un referendum.
Condotto come Cristo vuole e in ciascun paese
dell'inetta Unione Europea. Il guaio è che il popolo è così disinformato, così beffato, così ingan-
nato. Quindi così confuso e pronto a farsi imbro-
gliare sempre di più...

Nonostante ciò, che cosa gli direbbe per aiutarlo a
vincere con un No tale referendum?

Quel che ho detto finora. Più quel che dice uno
dei maggiori storici viventi ossia il vecchio Jac-
ques Le Goff. «Il mio rifiuto non è soltanto di natura culturale. È anche di natura geografica. Inte-
grando la Turchia, le frontiere dell'Europa si
spingerebbero fino all'Iraq. Se l'Iraq ce lo chie-
desse, accetteremmo anche lui?». Interrogativo

al quale aggiungo: l'Iraq confina con la Siria e l'Arabia Saudita e l'Iran. Se la Siria e l'Arabia Saudita e l'Iran ce lo chiedessero, accetteremmo anche loro? E poi chiedo: ma che cosa intendono, con la parola Europa, questi imbecilli? L'hanno mai visto un mappamondo, l'hanno mai vista una carta geografica? E se gli va bene la Turchia, perché fanno le smorfie quando la Russia gli fa capire che le piacerebbe esser vista come una candidata? Almeno quella è Oriente per modo di dire. Pecca come noi, a causa del terrorismo islamico soffre quanto noi, e invece di venerare il Profeta venera Cristo e la Madonna. Ah, dimenticavo... Eliminando le radici cristiane, la loro Costituzione ha eliminato anche Cristo e la Madonna... Sì, gli direi questo al Popolo. E poi gli ricorderei che cosa accadde alla Grecia, all'arcavola della nostra cultura, quando i turchi entrarono in casa sua e ci rimasero quattrocento anni. Perfino la memoria di Socrate e Platone le portarono via. In compenso le lasciarono la falaka. Le insegnarono a usarla così bene che un secolo e mezzo dopo la loro partenza la polizia greca la usava ancora per farti confessare. Infine concluderei: caro Popolo, il professor Lewis è un ottimista a profetizzare che l'Europa sarà tutta mussulmana entro il 2100. Se non ti opponi alla nuova follia, lo sarà al massimo entro il 2017.

*Ci credo. E con questo amaro commento le pongo
l'ultima domanda che riguarda direttamente il Mostro venuto dal mare. Ultima o quasi, visto che tutte le altre dipenderanno da quella. Le è mai capitato, dacché ci incontrammo la scorsa estate, d'avere
un cedimento? Sa la stanchezza che intorpidisce
quando qualcosa ci indigna o ci sgomenta oltre
ogni limite di sopportazione, sicché si resta lì so-
praffatti a mormorare basta. Sono stufo, sono stu-
fa, basta. Alzo bandiera bianca.*

Oh, sì. Più volte. Arrendersi, alzare bandiera
bianca, non è nella mia natura. In tutta la vita non
ho mai alzato bandiera bianca. Ma in questi ultimi mesi sono successe cose nauseabonde, e sarei
una bugiarda se le rispondessi che non ho mai
pensato e sofferto le cose che ha detto. Che non
sono mai caduta in depressioni profonde, cioè,
che non ho mai avuto cedimenti. Il primo lo ebbi
per il Manifesto dei Mussulmani-che-Vogliono-
la-Cittadinanza, insomma per via del *Corriere*, e...
Vede, al *Corriere* io sono sempre stata un'ospite
saltuaria e basta. Un'ospite di passaggio. Il giornalismo non l'ho certo scoperto attraverso il *Corriere*. L'ho scoperto attraverso lo zio Bruno, poi il
quotidiano di Firenze dove lavoravo da ragazzi-
na, poi un grande e ora defunto settimanale che
si chiamava *L'Europeo*. È grazie a *L'Europeo* (e ai

giornali stranieri, visto che la mia firma è sempre apparsa sui giornali più prestigiosi del mondo) che ho potuto vivere come un tarlo dentro la Storia. Vivere la Storia nell'attimo stesso in cui essa si svolge. Testimoniare le nefandezze della guerra e le porcherie della pace. Conoscere e raccontare chi sono i personaggi o non-personaggi che avendo vinto la lotteria del potere decidono il nostro destino. Eppure nel mio cuore il *Corriere* ha sempre avuto un posto speciale. Era stato il giornale dello zio Bruno, capisce, e da giovane anzi da giovanissima avrei tanto voluto che fosse anche il mio. (Cosa impossibile perché a quel tempo le donne non v'erano ammesse. «La firma d'una donna lì sarebbe eresia!» diceva lo zio Bruno tutto indignato). Infatti quando mi staccai dall'ormai moribondo *Europeo* scelsi il *Corriere*, non più feudo esclusivo degli uomini. Lo dirigeva Franco Di Bella, in quegli anni, e Dio che direttore! Il giornalismo lo maneggiava come Picasso maneggiava la pittura, Di Bella. Lo amava così appassionatamente, e così intelligentemente, che il giorno in cui gli portai l'intervista con Khomeini si mise a piangere di felicità. Con le lacrime. Ricorda? Il giorno in cui gli portai l'intervista con Deng Xiao Ping, invece, si buttò in ginocchio e si mise a sventolare un Asso di Cuori. Ricorda? Era proprio un gran giornalista, Di Bella. Non uno di quelli che si danno le arie a vuoto, che si credono padreterni, e non valgono un fico secco. Era anche spiritoso. Poi lui se ne andò. Io mi chiusi nella solitudine dello scriver libri, e ai miei occhi il *Corriere* divenne solo una serie di direttori da guardare in lontananza. Ora con rispetto e ora no. Però in fondo al cuore il posto speciale rimase. Il legame, intendo dire. E dopo l'Undici Settembre fu al *Corriere* che detti (anzi regalai, visto che per quel lavoro non volli esser pagata) l'articolone da cui sarebbe nato *La Rabbia e l'Orgoglio*. Fu attraverso il *Corriere* che incominciai la mia lotta al Mostro e alla Bestia al suo servizio. E sebbene ciò mi costasse dispiaceri odiosi e pesanti, sebbene non approvassi la sua linea politica, la sua Political Correctness, il suo dire le cose che conviene dire non le cose che si devono dire, per me continuò ad essere un legame da cui non si prescinde. Uno stretto parente che spesso vorresti prendere a calci, rinnegare, ma al quale vuoi lo stesso un gran bene. Ergo, l'insensato manifesto mi offese parecchio. Mi depresse quasi quanto l'udienza che il presidente della Repubblica elargì ai sette mussulmani-moderati incluso l'imam di Colle Val d'Elsa e il suo oltraggio al paesaggio della mia Toscana. Mi ferì quasi quanto il presidenziale discorso sugli immigrati che non sono abbastanza. Venite-venite-ché-abbiamo-tanto-bisogno-di-voi. (E menomale che non si conclude con un: «Se venite, insieme alla cittadinanza vi diamo anche un bel poderino nel Chianti. Magari quello della Fallaci che è a un tiro di schioppo dalla futura moschea col minareto»).

E il secondo attacco di stanchezza, il secondo cedimento, quando si verificò?

Al ritorno delle due Simonette pacifiste arcobaleniste. Non m'ero ancora ripresa dai traumi sofferti per la strage di Erode e le altre carneficine compiute dai macellai di Allah, capisce. E a vederle scendere da quell'aereo tutte spavalde e vestite all'araba, anzi coi dishdasha che in cambio d'un milione di dollari i rapitori gli avevano regalato coi Corani e i dolcetti e le caramelle, ebbi un sorriso di sprezzante pietà. Maleducate, pensai. Non ve l'ha detto la mamma che quando siamo state rapite dai macellai di Allah non si torna in patria indossando i loro dannati dishdasha, si torna vestite in modo serio? E mi augurai che a tanta malacreanza ovvero mancanza di classe e di gusto, rimediassero dicendo qualcosa di dignitoso anzi di doveroso. Qualche parola sulle trecentoquarantanove creature morte a Beslan e su quelle decapitate o sgozzate o freddate col colpo alla nuca in Iraq, anzitutto. Nonché sugli ostaggi che ancora languivano in una cantina con le braccia legate e gli occhi bendati, ad esempio sui due giornalisti francesi di cui non si sapeva più nulla. E poi un grazie al governo e alla stessa opposizione che avevano fatto tanto per liberarle, che per liberarle avevano pagato il riscatto, nonché alle persone che avevano rischiato la pelle per rintracciarle e trattare il rilascio. E poi un saluto agli italiani che per loro avevano tanto pregato e sfiaccolato nonché sborsato il milione di dollari. Ma invece di piangere su chi era stato ed era meno fortunato di loro, appena scese chiesero il ritiro delle truppe. Invece di ringraziare il governo e l'opposizione e il capo della Croce Rossa a Bagdad, ringraziarono i rapitori che erano stati così gentili. Così carini, così rispettosi, infatti non le avevan sfiorate neanche con un dito. Invece di salutare gli italiani salutarono (e ringraziarono) gli iracheni e tutti-i-mussulmani-della-Terra. E il sorriso di sprezzante pietà si spense. Maleducate e ingrate, pensai. Non ve l'ha detto la mamma che la gratitudine va a chi ci ha salvato la vita non a chi ce la voleva togliere? Pensai anche che la mamma in realtà non c'entrava per nulla. Erano donne di quasi trent'anni, perdio, non ragazzine sprovvedute e ignare.

E non è tutto.

No, non è tutto. Perché poi ci fu la sera in cui il sindaco di Roma rese omaggio alla più baldanzosa ricevendola in Campidoglio e affacciandosi con lei alla terrazza impreziosita da una immensa bandiera arcobaleno. Poi la mattina in cui il Papa ricevette entrambe in Vaticano. (Si presentarono in giacca e pantaloni, stavolta, ma con la testa provocatoriamente scoperta. Non imbacuccata nel velo che per i loro amici mussulmani portano con tanto scrupolo. Perdio, anche le regine, anche le rivoluzionarie, si coprono la testa per andare dal Papa. Io non m'ero messa forse il chador per andare da Khomeini? Certe cose si fanno per buona educazione, villane! Presuntuose, villane. Wojtyla s'era perfino raccomandato, per voi). Insomma, conclusi che davvero in Italia esistono ostaggi di Serie A e di Serie B. Se ti chiami Quattrocchi e muori da eroe risorgimentale ma politicamente stai dalla parte sbagliata, ti negano addirittura i funerali di Stato. E un magistrato che senza rischiar querele per diffamazione o vilipendio di defunto ti dà di mercenario lo trovi sempre. Ma se sei una simonetta legata ai diessini o ai comunisti di Rifondazione Comunista, tutti si scomodano per te. Per te la Destra fa un armistizio con la Sinistra, la Sinistra siede al tavolo della Destra e sia pure temporaneamente smette di vituperare ad ogni pretesto il governo, di chiedere il ritiro delle truppe in Iraq. Per te il sindaco di Roma apre le porte del Campidoglio, qui ti riceve come una Giovanna d'Arco che ha sconfitto gli inglesi a Orléans. E il Papa ti riceve in Vaticano e non si offende se per dimostrargli che preferisci l'Islam ti presenti coi capelli al vento. Roba per cui a Kabul o a Riad ti fucilerebbero seduta stante. E poi ci fu la morte di Jessica e Sabrina Rinaudo, le due giovanissime sorelle piemontesi che senza inneggiare alla resistenza-irachena-o-palestinese erano andate a farsi una vacanzuccia in Egitto, qui erano state disintegrate da cinquecento chili di esplosivo islamico. Io trovai quella morte davvero ingiusta, straziante. Ma i più vi reagirono con una specie di indifferenza. I più non sottolinearono che anche stavolta la colpa era dei figli di Allah. E questo mi depresse. Dunque a che serve battersi, faticare, patire, scrivere la verità, mi chiesi. A che serve rischiare la vita per questo, per questo dormire col fucile da caccia accanto al letto? Io sono stanca di parlare al vento, io non ne posso più.

E il terzo cedimento?

Il terzo fu un doppio cedimento, un cedimento in due fasi. Ebbe inizio, infatti, con la bravata del señor Zapatero che imitando il sindaco di San Francisco, (antiamericani sì ma non quando gli americani ti suggeriscono cattive idee), buttava alle ortiche il concetto biologico di famiglia e autorizzava il matrimonio-gay. Quel che è peggio, mille volte peggio, l'adozione-gay. E questo senza che nessuno gli rispondesse per le rime. Senza che nessuno gli dicesse almeno cretino: il mondo va a fuoco, l'Occidente fa acqua da tutte le parti, il terrorismo islamico non fa che tagliarci la testa, e tu perdi tempo coi matrimoni-gay e le adozioni-gay? Questo senza che la Chiesa Cattolica si ribellasse, senza che il Papa (di nuovo) si difendesse. Magari tirando in ballo la Madonna di Czestochowa a cui è tanto devoto e che certo non avrebbe gradito l'iniziativa di Zapatero. Tutti zitti. Tutti intimiditi, impauriti, incapaci di commentare la cosa in modo raziocinante o spontaneo. Tutti ricattati dalla tirannia dei Politically Correct. Perché se dici la tua sui matrimoni-gay e l'adozione-gay, finisci al rogo come quando dici la tua sull'Islam. Ti danno di razzista, di fascista, di bigotto, di incivile, di reazionario. Come minimo ti accusano di pensarla come Hitler che gli omosessuali li gettava nei forni crematori insieme agli ebrei. Insomma ti mettono alla gogna. Bè: dopo la sfuriata iniziale, anche stavolta caddi in una stanchezza profonda. Assai più profonda di quella in cui ero caduta a causa delle due Simonette. Perché sull'accettazione dell'omosessualità il señor Zapatero non ha da insegnarmi nulla. (E va

da sé che lui non ha da insegnarmi nulla su nulla).
Io ho un mucchio di amici omosessuali cui voglio
un gran bene, e guai a chi me li tocca. Meglio: guai
a chi fa del male a un omosessuale in quanto omosessuale. Chiunque egli sia, e che l'omosessuale in
questione lo conosca o no. Anni fa, nel mio villaggio in Toscana, il postino mi raccontò che due
omosessuali della zona erano rimasti senza casa
perché il padrone di casa s'era accorto che viveva-
no «come-marito-e-moglie». E li aveva cacciati. Io
non li conoscevo, non li avevo mai visti. Ma udire
una cosa simile mi mandò il sangue al cervello.
Non per pietà, bada bene. Per principio. E dissi al
postino: «Voglio incontrarli. Me li porti qui». Il postino me li portò e mi trovai davanti due giovanotti
molto civili, molto educati, che con gran dignità si
lamentavano: «L'albergo costa troppo e non sappiamo dove andare». Così gli mostrai una graziosa
casetta attigua alla mia, la casetta che tengo per gli
ospiti, e: «Se vi piace, state qui». Ci stettero qualche anno. Cioè fino a quando si separarono ed entrambi lasciarono l'Italia. Cosa che mi dispiacque
in quanto il nostro era diventato un rapporto quasi
familiare. M'ero abituata a loro, di loro non mi di-
spiaceva nulla escluso il fatto che a volte tenessero
il volume della radio troppo alto e che uno adoras-
se esser chiamato gay. Inappropriato anzi stupido
termine che detesto anche perché in inglese «gay»

vuol dire «allegro», e quando scrivo in inglese non
so a che santo votarmi per dire allegro. Da quel
punto di vista la parola «gay» è un vero furto al vocabolario e vorrei proprio sapere chi è l'irrespon-
sabile che la mise in giro, che la adottò. A New
York, poi, gli omosessuali li frequento dappertut-
to. Lì ce n'è più che a San Francisco, e almeno la
metà dei segretari che ho avuto erano omosessuali.
Come segretari sono bravissimi e sempre disponi-
bili. Voglio dire: l'omosessualità in sé non mi turba
affatto. Non mi chiedo nemmeno da che cosa di-
penda. Mi dà fastidio invece quando, come il fem-
minismo, si trasforma in ideologia. Quindi in categoria, in partito, in lobby economico-cultural-ses-
suale, e grazie a ciò diventa uno strumento politico. Un'arma di ricatto, un abuso Politically and
Sexually Correct. O-fai-quello-che-voglio-io-o-ti-
faccio-perdere-le-elezioni. (Pensi al massiccio voto
con cui in America ricattarono Clinton e in Spagna
hanno ricattato Zapatero. Sicché il primo provve-
dimento che Clinton prese appena eletto fu quello
di inserire gli omosessuali nell'esercito. Fretta che
giudicai ridicola. Il primo che ha preso Zapatero,
ritiro delle truppe a parte, quello del matrimonio e
dell'adozione-gay). Mi dà fastidio anche quando,
attraverso le loro lobby, a discriminare il prossimo
sono proprio gli omosessuali. E ancor più quando,
attraverso l'arroganza della categoria, il prossimo

lo offendono con le becere Gay Parades alle quali si presentano seminudi o travestiti e truccati da baldracche. E infine mi dà fastidio quando in nome dell'ideologia (e magari del vittimismo) pretendono la beatificazione anzi la santificazione anzi la deificazione dell'omosessualità. Come se l'omosessualità fosse uno stato di grazia anzi di superiorità. La normalità, uno svantaggio anzi uno stato di inferiorità. «Leonardo-da-Vinci-era-un-omosessuale. Michelangelo-lo-stesso. Giulio Cesare-idem». (Cosa da provare). Oppure: «Cleopatra andava a letto con le sue schiave. La Grande Elisabetta, con le sue cortigiane». (Cosa da provare). Oppure: «L'omosessualità è la patente del genio». In questi casi, infatti, mi offendo. Reagisco con cattiveria e gli ricordo che, Leonardo o no, Michelangelo o no, tanta presunta superiorità ha un punto debole. Quello che, buttando alle ortiche il concetto biologico di famiglia, il señor Zapatero finge di scordarsi. L'omosessualità non permette di procreare. Se diventassimo tutti omosessuali, la specie finirebbe. Si estinguerebbe come i dinosauri.

Ne ha mai parlato con uno dei suoi amici?

Certo! Una volta anche con Pasolini. Eravamo in un ristorante lungo la via Appia, ricordo, e seduti al tavolo aspettavamo Alekos che era molto in ritardo a causa d'uno sciopero aereo. D'un tratto Pier Paolo mi accarezzò una mano e riferendosi al mio libro *Lettera a un bambino mai nato* (libro che odiava) mormorò: «Quanto a infelicità, anche tu non scherzi». Credendo che si riferisse al mio libro gli chiesi da dove venisse quell'*anche*, il discorso scivolò immediatamente sulla sua incontrollabile omosessualità, e... Cara amica, un essere umano nasce da due individui di sesso diverso. Un pesce, un uccello, un elefante, un insetto, lo stesso. Per essere concepiti, ci vuole un ovulo e uno spermatozoo. Che ci piaccia o no, su questo pianeta la vita funziona così. Bè, la biogenetica dice che in futuro si potrà fare a meno dello spermatozoo. Ma dell'ovulo, no. Sia che si tratti di mammiferi, sia che si tratti di ovipari, l'ovulo ci vorrà sempre. L'ovulo, l'uovo, che nel caso degli esseri umani sta dentro un ventre di donna e fecondato si trasforma come per magia in una stilla di Vita poi in un germoglio di Vita che attraverso il meraviglioso viaggio della gravidanza diventerà un'altra Vita, un altro essere umano. Infatti sono assolutamente convinta che a guidare l'innamoramento o il trasporto dei sensi sia l'istinto di sopravvivenza cioè la necessità di continuare la specie. Vivere anche quando siamo morti, vivere attraverso chi viene e verrà dopo di noi. E sono ossessionata dal concetto di maternità. Oh, non mi fraintenda: capisco anche il concetto di paternità. Lo vedrà nel mio romanzo, se farò in tempo a finirlo. Lo capisco così bene che parteggio con tutta l'anima pei padri divorziati che reclamano la custodia del figlio, condanno i giudici che quel figlio lo affidano all'ex-moglie e basta, e ritengo che nella nostra società oggi si trovino più buoni padri che buone madri. (Segua la cronaca. Quando un padre impazzito ammazza un figlio, ammazza anche sé stesso. Quando una madre impazzita ammazza un figlio, non si ammazza affatto). Ma essendo donna, e in più una donna ferita dalla sfortuna di non esser riuscita ad avere figli, capisco meglio il concetto di maternità. Forse proprio perché i miei bambini sono morti prima di nascere, vedo tutto in chiave di maternità. Quando scrivo un libro, ad esempio, dico: «Sono incinta d'un libro». Quando lo pubblico, dico: «Ho partorito un libro». E i miei libri li ho sempre chiamati «i miei bambini di carta». Come si lega questo prologo al cedimento che ebbi a causa dell'insopportabile Zapatero e di coloro che al solito sono rimasti zitti, non hanno avuto il coraggio di protestare?

Io non gliel'ho chiesto.

Ma qualcun altro se lo chiederà. Quindi ecco. Un omosessuale maschio l'ovulo non ce l'ha. Il ventre di donna, l'utero per trapiantarcelo, nemmeno. E non c'è biogenetica al mondo che può risolvergli un tale problema. Clonazione inclusa. L'omosessuale femmina, sì, l'ovulo ce l'ha. Il ventre di donna necessario a fargli compiere il meraviglioso viaggio che porta una stilla di Vita a diventare un germoglio di Vita poi un'altra Vita, un altro essere umano, idem. Ma la sua partner non può fecondarla. Sicché se non si unisce a un uomo o non chiede a un uomo per-favore-dammi-qualche-spermatozoo, si trova nelle stesse condizioni dell'omosessuale maschio. E a priori, non perché è sfortunata e i suoi bambini muoiono prima di nascere, non partecipa alla continuazione della sua specie. Al dovere di perpetuare la sua specie attraverso chi viene e verrà dopo di lei. Con quale diritto, dunque, una coppia di omosessuali (maschi o femmine) chiede d'adottare un bambino? Con quale diritto pretende d'allevare un bambino dentro una visione distorta della Vita cioè con due babbi o due mamme al posto del babbo e della mamma? E nel caso di due omosessuali maschi, con quale diritto la coppia si serve d'un ventre di donna per procurarsi un bambino e magari comprarselo come si compra un'automobile? Con quale diritto, insomma, ruba a una donna la pena e il miracolo della maternità? Il diritto che il signor Zapatero ha inventato per pagare il suo debito verso gli omosessuali che hanno votato per lui?!? Io quando parlano di adozione-gay mi sento derubata nel mio ventre di donna. Anche se non sono riuscita a far nascere i miei bambini mi sento usata, sfruttata, come una mucca che partorisce vitelli destinati al mattatoio. E nell'immagine di due uomini o di due donne che col neonato in mezzo recitano la commedia di Maria e Giuseppe vedo qualcosa di mostruosamente sbagliato. Qualcosa che mi offende anzi mi umilia come donna, come mamma mancata, mamma sfortunata, e come cittadina. Sicché offesa e umiliata dico: mi indigna il silenzio, l'ipocrisia, la vigliaccheria, che circonda questa faccenda. Mi infuria la gente che tace, che ha paura di parlarne, di dire la verità. E la verità è che le leggi dello Stato non possono ignorare le leggi della Natura. Non possono falsare con l'ambiguità delle parole «genitori» e «coniugi» le leggi della Vita. Lo Stato non può consegnare un bambino, cioè una creatura indifesa e ignara, a genitori coi quali egli vivrà credendo che si nasce da due babbi o due mamme non da un babbo e una mamma. E a chi ricatta con la storia dei bambini senza cibo e senza casa (storia che oltretutto non regge in quanto la nostra società abbonda di coppie normali e pronte ad adottarli) rispondo: un bambino non è un cane o un gatto da nutrire e basta, alloggiare e basta. È un essere umano, un cittadino, con diritti inalienabili. Ben più inalienabili dei diritti o presunti dirit-

ti di due omosessuali con smanie materne o pater-
ne. E il primo di questi diritti è sapere come si nasce sul nostro pianeta, come funziona la Vita sul
nostro pianeta. Cosa più che possibile con una madre senza marito, del tutto impossibile con due
"genitori" del medesimo sesso. Punto e basta.

Woop! E del matrimonio-gay che ne pensa?

Mah... In qualsiasi società, in qualsiasi angolo della Terra, in qualsiasi paese esclusa la Spagna di Zapatero, il matrimonio è l'unione di un uomo e di
una donna. Tale rimane anche se da quell'unione
non nascono figli. Così capisco i resultati del referendum che in dodici Stati americani si è concluso
con la vittoria schiacciante del No, insomma con
un assordante rifiuto del suddetto matrimonio.
Non capisco, invece, perché in una società dove
tutti possono convivere liberamente cioè senza dar
scandalo, senza essere condannati o considerati re-
probi, gli omosessuali sentano l'improvviso e acu-
to bisogno di sposarsi davanti a un sindaco o a un
prete. Magari con l'abito bianco, il mazzolino di
fiori in mano, e lo spettro del divorzio che costa
un mucchio di tempo e un mucchio di soldi. Spero che sia un'isteria temporanea, un capriccio alla
moda, una forma di esibizionismo o di conformismo. Perché, se non lo è, si tratta d'una provoca-

zione legata alla pretesa di adottare i bambini e sovvertire il concetto biologico di famiglia. Insomma d'una intimidazione. Non mi piacciono le provocazioni, non mi piacciono le intimidazioni. Gira e rigira, sono sempre di natura politica. E in tal caso a quei fidanzati, quelle fidanzate, dico: accontentatevi del sacrosanto diritto che il mondo civile riconosce a chiunque. Il diritto di amare chi si vuole, come si vuole.

Disse anche questo a Pasolini?

Ma no. Ovvio che no: eravamo nel 1975. Trent'anni fa ai matrimoni e alle adozioni-gay non ci pensava nessuno. Gli omosessuali non avevano mica il potere che hanno oggi. Non costituivano mica una forza elettorale, non contavano mica politicamente. Però gli dissi la faccenda dei dinosauri. Gli ricordai che l'omosessualità non consente di procreare. Che si viene concepiti da un uomo e da una donna, che si nasce da ventre di donna, che anche lui era nato così.

E lui che le rispose?

Ascoltava in silenzio. E ognitanto annuiva impercettibilmente. Come se capisse. O come se soffrisse. Ma a un certo punto si incupì. Ebbe uno scatto e con la sua voce dolcissima (aveva una voce dolcissima, quasi femminile, ben diversa dal suo volto maschio) disse una cosa che non ho mai dimenticato. Che non dimenticherò mai. Disse: «Devo spiegarti perché odio, perché detesto, perché aborro il tuo libro *Lettera a un bambino mai nato*. E perché mi nausea ascoltare ciò che stai sostenendo. Io non voglio sapere che cosa c'è dentro un ventre di donna. Io inorridisco a sapere che cosa c'è dentro un ventre di donna. Una volta anche mia madre tentò di spiegarmi che cosa c'è dentro un ventre di donna. E ci litigai. Io che amo tanto mia madre». Poi sorrise. Mi accarezzò di nuovo la mano, mosse le labbra come stesse per mitigare la sfuriata con una parola gentile. Ma nello stesso momento Alekos arrivò e...

E da quel giorno non lo rivide mai più. Lo so. Due mesi dopo lo ammazzarono sulla spiaggia di Ostia, la spiaggia dove s'era portato quel ragazzo cattivo. Lo so. Lo ammazzarono di botte, poi passarono sopra il suo corpo con l'automobile, e Lei n'ebbe il cuore rotto. Lo so. Passiamo alla seconda fase del Suo terzo cedimento.

Si inserì nella stoltezza del matrimonio-gay e dell'adozione-gay come un ago si inserisce in un gluteo, quella seconda fase. Vi si inserì con l'Affaire-

Buttiglione, e mi depresse più di quanto m'avesse depresso el señor Zapatero. Perché vi colsi la prova definitiva del nostro cupio-dissolvi, l'ansia di autodistruzione che ormai divora l'Occidente attraverso il suo cancro intellettuale e morale. E qui mi lasci premettere che io non vado pazza per il professor Buttiglione, ex-democristiano e maestro di filosofia. A lui non gliela darei la graziosa casetta per gli ospiti attigua alla mia. Anche perché sono sicura che la userebbe per fondare un altro partito. Il cupio-dissolvi lui lo esprime distruggendo e rifondando partiti che sono sempre lo stesso partito. Non vado pazza per lui, no. Mi irrita la sua mellifluità alla Mortadella, la sua educata spocchia alla D'Alema, e la condiscendenza con cui invita a rileggere *De Captivitate Babylonica Ecclesiae* o *Regulae ad directionem Ingenii*. (Cartesio). Nonché il suo citare sempre Kant. Per i miei gusti, inoltre, è troppo cattolico. Però è un cattolico liberale. Un cattolico che conosce la differenza tra religione e ragione, che difende a occhi chiusi i principii del laicismo, che al Papa si inchina nella stessa misura in cui si inchina a Kant. E se non cambia, se non mi proibisce di pensarla in modo diverso da lui, se non mi brucia sul rogo perché la penso in modo diverso da lui, ha il diritto d'essere cattolico come io ho diritto d'essere atea. O come un mussulmano ha il diritto d'essere mussulmano e uno scemo

ha il diritto d'essere scemo. Nessuno aveva il diritto di bocciare la sua candidatura a Commissario a
giustizia, libertà e sicurezza nella Commissione
Europea perché è cattolico e in quanto cattolico
crede che l'omosessualità sia peccato. Nessuno.
Tantomeno i Politically Correct socialisti, comunisti, diessini, verdi, radicali, liberali o presunti liberali, cioè i tipi che hanno tanto rispetto per il Corano e lo difendono con tanto fervore. Con uguale
fervore aiutano i suoi seguaci a invadere il nostro
paese, a infrangere le nostre leggi, a rovinare i nostri paesaggi con le loro insopportabili moschee.
Quale infamia commise, il pio Professore, alla domanda con cui quei gentiluomini e quelle gentil-
donne gli tesero il trabocchetto di Strasburgo? Rispose che nella sua coscienza personale, la sua coscienza di cattolico, la sua morale di cattolico, l'o-
mosessualità-poteva-anche-considerarla-un-pec-
cato. (Non «un reato», bada bene: «un peccato»).
Però mai e poi mai egli avrebbe discriminato un
omosessuale. Mai e poi mai per il semplice motivo
che bisogna distinguere tra Morale e Diritto, tra
Fede e Legge, tra coscienza personale e coscienza
sociale anzi dovere civile. E giù uno sproloquio su
Kant. Ma con Kant i suoi inquisitori avevano poca
dimestichezza. Vi sono più ignoranti al Parlamento Europeo che nelle strade di Islamabad o Bagdad. (Chieda a un nostro europarlamentare che

227

cosa è «l'imperativo categorico» di Kant e vedrà). Anche se tutti avessero avuto la cattedra in filosofia, del resto, la parola «peccato» gli sarebbe bastata. Ricorda con quanto slancio lo accusarono di «offesa al laicismo» e di «insulto al liberalismo» quei super-laici, quei super-liberali, che quando non la pensi come loro ti tappano immediatamente la bocca anzi ti mettono alla gogna? Non dettero alcuna importanza allo sproloquio su Kant. Giudicarono esclusivamente la parola che apparteneva alla coscienza personale dell'inquisito. Dimenticando che da Sant'Agostino in poi la dottrina della Chiesa Cattolica si regge sul concetto di peccato, che su tale concetto si basava la Controriforma e si svolse il Concilio di Trento, alcuni di loro chiesero addirittura che il pio Professore la cancellasse dal suo vocabolario. E l'Eurabia che per cinque anni s'era tenuta Mortadella, che a Mortadella non aveva mai chiesto se l'omosessualità fosse un peccato o no, bocciò Buttiglione. «Inaccettabile». Sentenza per cui D'Alema dichiarò tutto soddisfatto «Questa è una vittoria del Parlamento Europeo» e Bertinotti lo corresse, declamò «Questa è una vittoria del Quarto Stato». Per cui l'Italia scatenò una vera caccia ai sinonimi di omosessuale e riesumò i vocaboli frocio, checca, finocchio, culattone. E in seguito a cui, dulcis in fundo, il Professore chiese scusa.

Lei non l'avrebbe chiesto, vero?

Neanche morta. Vi sono casi in cui chiedere scusa non è un atto doveroso e civile, coraggioso ed elegante, bensì un gesto indebito e servile, pusillanime e inelegante. E questi casi sono i casi in cui non chiedi scusa perché riconosci d'avere avuto torto ma perché ritieni che chiedere scusa ti procurerà un vantaggio. Ad esempio il perdono cioè la poltroncina di Commissario. Cristo, lui non era mica Galileo Galilei dinanzi al Sant'Uffizio! Non rischiava mica di finire arrosto come Giordano Bruno! Non era nemmeno un tipo come me cioè un tipo che di amici omosessuali ne ha quanti ne vuole, se li tiene in casa e guai a chi glieli tocca, ma guai se pretendono di adottare un bambino per recitar la commedia di Maria e Giuseppe. (Posizione, questa, per la quale non chiederò mai scusa. Mai! Neanche se mi bruciano viva). E aggiungo: se nella sua coscienza uno è convinto che mangiar la carne di venerdì sia peccato, come diceva la Chiesa Cattolica quand'ero bambina, non può chiedere scusa perché di venerdì la carne non la mangia. Non può barattare le sue convinzioni, la sua fede, con una poltroncina a Strasburgo. Può (e deve) fare soltanto ciò che aveva già fatto. A costo, poi, di mormorare a sé stesso che dopo la non eroica abiura Galileo aveva borbottato tra i denti: «Eppur si muove». In parole povere: «Però intorno al Sole la Terra ci gira eccome, razza di stronzi!». Comunque il motivo per cui stavolta rischiai veramente d'alzare bandiera bianca fu un altro.

Quale?

Capire che la parola peccato non c'entrava affatto. Che Buttiglione era stato bocciato perché il tiro a due Francia-Germania aveva ingiunto di bocciarlo prima che lo sottoponessero all'interrogatorio. Se ai giacobini di Strasburgo egli avesse risposto Signori-miei, io-sono-una-checca-coi-fiocchi-e-non-vedo-l'ora-di-sposare-in-municipio-il-mio-fidanzato, lo avrebbero respinto lo stesso. E lo avrebbero respinto lo stesso perché era un cattolico. Non un cattolico di Centro-Sinistra come Mortadella che non ha fatto nulla per impedire che nella soi-disant Costituzione Europea venissero taciuti duemila anni di Storia abbarbicata alle radici giudaico-cristiane: un cattolico di Centro-Destra. Un cattolico di Berlusconi quindi alleato degli Stati Uniti ed inviso alla Francia, alla Germania, ai vari califfati dell'Eurabia. Quest'Eurabia antiamericana e anti-israeliana dove, non pago d'avere spedito in Ohio cinquantamila letterine che invitano a non votare per Bush, il giornale inglese *The Guardian* osa scrivere nel suo editoriale che «Bush andrebbe preso a calci in culo». E dove nel suo *Eleven o'clock Show* la Bbc-Tv invita a far fuori Bush con la battuta: «John Wilkes Booth, Lee Harvey Oswald, John McHinckley, perché vi nascondete ora che abbiamo bisogno di voi?». (Il primo è l'assassino di Lincoln, perdio. Il secondo è l'assassino di Kennedy. Il terzo, il mancato assassino di Reagan). Quest'Eurabia antisemita e anticristiana dove il bolscevismo è uscito dalla porta per rientrare dalla finestra e dove se tocchi la Sinistra o ciò che loro chiamano Sinistra sei fritto. Quest'Eurabia antieuropea e antioccidentale dove ormai trionfa il modello italiano ossia il modello che si basa sulla massima: «Chi perde le elezioni comanda e chi le vince chiuda il becco». Infatti l'Affaire-Buttiglione mi riporta alla memoria il caso di Jörg Haider: l'austriaco di Destra che le elezioni le aveva vinte perché non voleva che il suo paese continuasse ad essere occupato dai figli di Allah. Sicché quando veniva in Italia le milizie del Mostro gli sputavano addosso, cercavano di picchiarlo, o gli impedivano di lasciare l'albergo. E nessuno che protestasse: ma siete impazziti? Il signor Haider è stato regolarmente e legittimamente eletto dal suo popolo! L'Austria è uno Stato sovrano, elegge chi vuole! Infatti a un certo punto i califfi e i visir di Strasburgo minacciarono addirittura d'espellerla dall'Unione Europea. O-voti-un-altro-o-con-noi-non-ci-stai. E l'Austria ubbidì... Quest'Eurabia disossata e bugiarda dove ormai si prova disagio a dire io-sono-laica, io-sono-liberale, perché i falsi laici disonorano il laicismo e i falsi liberali disonorano la libertà. Guardi, ha ragione Giuliano Ferrara quando sul suo *Foglio* parla di Europa laico-bigotta e la definisce «un mondo ottuso e dogmatico. Un mondo che menziona la verità al singolare, un mondo che non considera le verità multiple e differenti». Ha ragione anche il cardinale Martino quando, per una volta rompendo l'allucinante silenzio della Chiesa, dice che «in Europa è in atto un'Inquisizione anticristiana. Un'offensiva che gestita dai soldi e dall'arroganza vuole mandare al rogo i cristiani...».

Ci fermiamo qui...?

Oh, si potrebbe continuare all'infinito. Tutti i giorni ce n'è una. Si potrebbe ricordare, ad esempio, che quest'anno il Premio Nobel per la Pace gli svedesi l'hanno dato alla signora Wangari Maathai. Una ecologista del Kenya che insegna all'Università di Nairobi e dice: «L'Aids è un'arma biologica inventata dagli occidentali per sterminare noi neri. È una malattia creata nel laboratorio d'uno scienziato occidentale che odia l'Africa». (E se le rispondi che a udire una stronzata simile l'intera comunità scientifica inorridisce, che l'Aids l'hanno portata ahimè le scimmie, ribatte: «Impossibile. Noi con le scimmie ci viviamo dalla notte dei tempi»). Comunque resta il fatto che il cedimento definitivo avvenne per tutto questo. Fu allora che mi dissi basta, in Eurabia non ci sto più. L'Italia non è più la mia patria, non è più la mia mamma, sia l'una che l'altra sono così asservite al Mostro che a starci rischio di trovarmi anch'io col marchio sulla fronte e sulla mano destra. E per la prima volta nella mia vita desiderai cambiare cittadinanza, rinunciare al passaporto con la scritta «Repubblica Italiana-Unione Europea», chiedere a qualche remoto paesino l'asilo politico che da noi viene concesso con tanta facilità. Insomma, scappare.

Per andar dove? A chiudersi per sempre in esilio a New York?

No. L'America è ancora il baluardo della Libertà, la democrazia più democrazia del mondo, e senza dubbio il solo difensore dell'Occidente. O il solo su cui l'Occidente possa contare. Ma sguazza negli stessi guai in cui sguazziamo noi. Pensi al radicalismo ottuso e dogmatico che acceca il grosso dell'intellighenzia americana. Pensi alle sue università invase dagli studenti e dagli insegnanti che tifano per l'Islam. Pensi ai suoi grandi giornali, ad esempio al *New York Times* e allo *Washington Post*, e alle emittenti televisive (in testa la Cnn) che sostengono le cause dei Politically Correct. Del resto i Politically Correct sono nati in America, mica in Europa. Pensi alle case editrici pavide o conformiste che fanno il gioco del pluriculturalismo a senso unico. Pensi ai divi di Hollywood che sono ricchi come re Mida ma intruppati come i servi del Mostro, pensi a quel bruttissimo Michael Moore cui dettero l'Oscar per un film che è la statua più indegna mai eretta a gloria del Mostro. Il cancro morale e intellettuale che divora l'Occidente esiste anche lì. Anche lì a gestire le idee e manipolare i sentimenti, intimidire il popolo e zittirlo sono i complici di cui nell'Apocalisse parla l'evangelista Giovanni. E a New York il malanno è così grave che, Alieno a parte, da un anno non ci metto piede. Nella mia amata casa crescono i funghi e le liane. Guardi, quella soluzione la considerai soltanto di riflesso. Vale a dire in quanto le Isole Marshall, arcipelago della Micronesia, appartengono agli Stati Uniti. Cercavo un posto piccolissimo, inaccessibile, e nelle Marshall c'è Bikini: l'atollo dove tra il 1946 e il 1958 furon condotti gli esperimenti atomici per la bomba a idrogeno. Credevo che fosse deserto, abitato soltanto da qualche tartaruga. Così ne dedussi che lì non avrei dovuto nemmeno chiedere l'asilo politico. E incominciai a far le valige. Ma quando seppi che ormai era un centro turistico e frequentato dai comunisti miliardari, dagli sceicchi, dai giornalisti del *New York Times* e dello *Washington Post*, dall'imam di Colle Val d'Elsa, dalle due Simonette, dai funzionari del Viminale e del Quirinale, insomma da chiunque rispetti il Profeta e consideri gli immigrati una manna piovuta dal Cielo, cambiai subito idea. E pensai a Sant'Elena.

L'isola dove finì Napoleone?

Eh, sì...

E la scelse?

No. Me lo ricordava troppo. Io per Napoleone ho sempre nutrito malevolenza, e in più a Sant'Elena c'è morto di Alieno. Per una che ha l'Alieno la cosa odorava di menagramo, e dopo averci riflettuto un po' spostai l'attenzione sul Polo Sud: luogo dove la gente che ho elencato prima non ci va davvero. Il guaio è che al Polo Sud c'è neve e ghiaccio e basta. Ci fa un freddo boia, e a me piace il caldo. Tutte le guerre da cui mi sono lasciata intrappolare le ho sopportate perché avvenivano in paesi dove faceva caldo. Vietnam incluso. Abbandonata anche la soluzione del Polo Sud, scelsi dunque Niuatoputapu. Paradiso che si trova nelle Isole Tonga o Isole degli Amici cioè nel Pacifico Meridionale, e che è governato da Sua Maestà Taufaahau Tupon IV: un innocuo polinesiano che porta sempre una bellissima collana di conchiglie e pesa quasi duecento chili. Cosa che mi impressiona molto in quanto io peso meno di quaranta. Scelsi Niuatoputapu non solo per lui e per il caldo, ma perché lì i mussulmani non ci vanno mai. I comunisti miliardari, gli sceicchi, le simonette eccetera, lo stesso. Arrivarci è così difficile che a malapena ci riesce il *National Geographic*. Inoltre Sua Maestà Taufaahau Tupon IV è cristiano protestante, se gli parli di Islam Moderato va in bestia come me, e di sicuro l'asilo politico me l'avrebbe concesso. Feci un'altra volta le valige. Ero finalmente pronta ad alzare bandiera bianca, e questo mi dava un gran senso di sollievo. Alleluja, alleluja: non avrei più letto manifesti scritti per sollecitare la cittadinanza ma spacciati come «documenti-fondamentali». Non avrei più udito i presidenziali venite-venite, abbiamo-tanto-bisogno-di-voi. E tantomeno avrei udito i ringraziamenti delle rapite ai rapitori che per un milione di dollari non ti sgozzano anzi ti regalano Corani e dishdasha e caramelle. Non avrei più sentito parlare di professori bocciati dai laico-bigotti perché nel segreto della loro coscienza pensano che l'omosessualità sia peccato. E tantomeno avrei sentito parlare di bambini che vengono adottati da due babbi o due mamme e crescono pensando che si nasca da persone del medesimo sesso. Però, mentre mi preparavo a partire, ad arrendermi...

... avvenne la gran messinscena nella sala degli Orazi e dei Curiazi cioè in Campidoglio: la cerimonia delle venticinque firme sul cosiddetto Trattato di Roma cioè sul testo della cosiddetta Costituzione Europea che non dice chi siamo e da dove veniamo.

Già... E al posto dei duemila anni di Storia abbarbicata nelle radici che sappiamo, ciò che Pera chiama «l'Europa senz'anima». La solita fiera delle vanità ammantate di solennità e ingioiellate di bugie. I soliti califfi con la cravatta, i soliti visir col doppiopetto blu, i burattinai del Super-Stato che come scrivo in un inserto de *La Rabbia e l'Orgoglio* mira a governare una Super-Nazione, a imporre una Super-Patria al servizio del Mostro. E questo mentre il presidente della Repubblica dice: «Nasce l'Europa che sognavo». Ma a quella messinscena non detti importanza. Si trattava d'una beffa annunciata, d'una burla scontata. Mi turbò assai di più Bin Laden che ventiquattro ore dopo, elegante come un sultano, non più guerriero in mimetica ma statista con la barba bianca riapparve per dedicare agli americani quell'imprevisto comizio televisivo. Per leggere il discorso con cui li invitava a non votare per Bush altrimenti gliel'avrebbe fatta pagare di nuovo. «Vi parlo del miglior modo per evitare un'altra Manhattan. Vi parlo per dirvi che il perdurare della sua politica porterà alla ripetizione dell'incidente (sic) che avvenne l'Undici Settembre». E poi: «Le ragioni che ci hanno portato a programmare quel che è successo l'Undici Settembre risalgono al 1982 quando l'America permise l'invasione del Libano provocando morte e sfacelo tra i nostri fratelli palestinesi. Hanno distrutto le torri in Libano, dicemmo, e noi distruggeremo le torri in America». E poi: «Bush figlio è al potere come erede di suo padre, ed è stato eletto con le frodi elettorali in Florida. Mi meraviglio di voi che non capite. Sono passati tre anni dall'Undici Settembre, siamo entrati nel quarto anno, e Bush vi sta ancora ingannando, vi sta ancora mentendo. Quindi vi sono ancora i motivi per ripetere quello che accadde». Infine: «Avevo ordinato ad Attah di compiere tutti gli attacchi in venti minuti, ma l'ignavia dei vostri generali e del vostro Comandante in Capo ci concesse molto più tempo garantendoci un successo totale».

La turbò davvero tanto?

Mi lasciò senza fiato. Non era, capisce, Hitler che in uniforme strilla come un pazzo isterico alle folle intruppate di Alexanderplatz. Non era Mussolini che col petto pieno di medaglie e le mani sui fianchi come una lavandaia bercia sciocchezze dal balcone di palazzo Venezia. Era un signore che in djellaba bianco, turbante bianco, mantello dorato, parlava con voce tranquilla dallo schermo d'un televisore. Voce tranquilla, gesti pacati, tono distaccato, sicuro di sé. E in più quella barba bianca, stranamente bianca se pensi che ha solo quarantasette anni, che raddoppiava la sua ieraticità. Anzi la sua venerabilità. Ricordava Khomeini, benché Khomeini fosse più rozzo. Più terrestre. E accantonando l'altro volto del nazi-islamismo cioè il volto barbaro dei suoi macellai, dei suoi tagliatori di teste, dei suoi bruti che fanno a pezzi i cadaveri poi li esibiscono come trofei, in lui vidi qualcosa di davvero apocalittico. Qualcosa, inoltre, che mi riportò alla memoria l'episodio di cui parlammo la scorsa estate e che la scorsa estate decidemmo di non mettere nell'intervista perché temevamo di sbagliarci ma che stavolta abbiamo inserito nel punto in cui rispondo alla domanda «le-piacerebbe-intervistare-Bin-Laden». Parlo del giovanotto che nel luglio del 1982 vedemmo a Beirut. Quello incredibilmente alto e dignitoso che vestito di un candido djellaba camminava lentamente per il salone del grande albergo dove c'eravamo appena trasferite, che un paio di volte girò attorno alla nostra poltrona lanciandoci un'intensa occhiata di antipatia. Anzi di ostilità. Sicché ci chiedemmo se sapesse chi eravamo, se ce l'avesse con noi per via del modo in cui avevamo interrogato Khomeini, o per via delle stupide cose che Khomeini aveva detto su di me nel video di Qom. E in preda a uno strano disagio ci allontanammo... Guardi, sebbene quello strano disagio io l'abbia avvertito tutte le volte che l'ho visto alla Tv, e sebbene tutte le volte mi sia chiesta se fosse lo stesso uomo che avevamo visto a Beirut, in questi tre anni non ho mai voluto rispondermi sì. La cosa suonava troppo romanzesca, troppo incredibile. Però la sera in cui tenne il comizio televisivo, e parlò di torri distrutte al Libano cioè a Beirut nel 1982, ci ragionai su. Non v'erano torri a Beirut. Non v'era nulla che assomigliasse alle Torri Gemelle... Però v'erano grossi grattacieli, e nel luglio del 1982 uno di questi venne distrutto dagli aerei israeliani con una bomba a implosione. Me ne ricordo bene. E crollando inghiottì sé stesso proprio come le Torri Gemelle. Si autotrangugiò con le quattro o cinquecento persone che stavano dentro e dopo, a guardare quel che era rimasto, rabbrividii. Era rimasto soltanto la cima dell'ultimo piano. Una immensa lastra di cemento che tappava la voragine come il coperchio d'un barattolo. La vide anche lui? Si trovava a Beirut anche lui? Nel 1982 Bin Laden aveva venticinque anni, e non era più un playboy vestito all'occidentale. La sua metamorfosi s'era completata. Combatteva in Afghanistan ma dall'Afghanistan si spostava a suo piacimento. Se la faceva con gli americani e... Lo guardai meglio. Il giovanotto che nel salone dell'albergo m'aveva lanciato quella intensa occhiata di antipatia anzi di ostilità aveva la barba nera e non lunga. Aveva le guance lisce, la freschezza della gioventù. Ma i lineamenti erano gli stessi. Uguale l'inconfondibile naso, uguale l'inconfondibile bocca. E, soprattutto, uguali gli occhi. Quegli occhi fermi, severi, e nel medesimo tempo malinconici. Forse dolci. Uguale la ieraticità, la pacatezza dei gesti, la sicurezza di sé. La voce, non so. Non aprì mai bocca, ricorda, e l'incontro muto durò non più di due minuti. Però sa che le dico? Era Bin Laden.

Lo penso anch'io. E ora resta soltanto da chiederci per quale motivo fino ad oggi non abbiamo voluto dirlo neanche a noi stesse. Non abbiamo mai voluto crederci, non abbiamo mai voluto ammettere che sì: era lui. Perché?

Perché avevamo visto il Diavolo. Avevamo visto Satana, il Mostro con sette teste e dieci corna di cui parla l'evangelista Giovanni. E ci aveva fatto paura. Molta paura.

Ebbe paura anche la sera del comizio televisivo?

No. Al contrario. Infatti posai le valige per terra. Compresi che non era giusto andare a Niuatoputapu, chiedere asilo politico a Sua Maestà Taufaahau Tupon IV, alzare bandiera bianca, scappare. E sebbene fossi molto stanca, insopportabilmente stanca, restai.

E quando incominciò a lenire quella stanchezza?

Quando ad Amsterdam il marocchino naturalizzato olandese Muhammad Bouyeri ammazzò il regista Theo van Gogh, colpevole d'aver girato un cortometraggio sulla sottomissione delle donne nell'Islam. Mi colpì parecchio, sì, l'assassinio di Theo van Gogh. Mi colpì a tal punto che i particolari forniti dai giornali mi sono entrati nella mente con la forza d'un veleno, e posso raccontarmeli come se li avessi vissuti in loco. È la mattina del 2 novembre, giorno importante perché il 2 novembre in America si svolgono le elezioni, e anche in Europa tutti tengono il fiato sospeso: vincerà Kerry, vincerà Bush? Forse se lo chiede anche Theo van Gogh. E con questa domanda esce di casa, come sempre elude la scorta che la polizia gli ha imposto e che lui non vuole perché crede di non averne bisogno. Non è mica una persona importante, lui, sebbene il grande pittore fosse un suo prozio. È un qualsiasi cittadino, un olandese gioviale e beone, che ce l'ha coi tagliateste e gli intrusi che si sono impossessati del suo paese incominciando dalla sua città. Non ha mica emesso una legge perché vengano cacciati dall'Olanda come gli ebrei di Mosè furono cacciati dall'Egitto. Con l'aiuto di Ayyan Hirsi Alì, una bella parlamentare di origine somala che ha scritto il copione, s'è limitato a girare quel piccolo documentario per difendere le mussulmane umiliate e soggiogate. Per via di questo loro lo minacciano, sì. Telefonate, bigliettini. L'Islam-ti-punirà, Soldato del Male, eccetera, eccetera. Ma non gli sembrano cose da prender sul serio. La polizia esagera. Inoltre non sta mica a Bagdad. Sta ad Amsterdam. E con la sua aria spensierata, il suo faccione da cuorcontento, salta sulla bicicletta. Ad Amsterdam vanno tutti in bicicletta. Felice d'aver eluso la scorta punta verso il centro e pedala in direzione di Linnaeusstraat, la strada che attraversa il parco. E qui c'è qualcuno che lo aspetta. Qualcuno che da tempo lo segue, lo osserva, e conosce le sue abitudini. È un marocchino naturalizzato olandese, questo qualcuno. Si chiama Muhammad Bouyeri. Ha ventisei anni, è nato qui. Qui ha fatto le scuole elementari, s'è diplomato al liceo, cosa che in Marocco non si sarebbe sognato nemmeno, e dopo il liceo ha studiato informatica aziendale. Vive con la famiglia. Tre fratelli più giovani e il padre. La madre è morta. Fino a qualche tempo fa con loro viveva anche una sorella. Ma poi lei è rimasta incinta e il padre l'ha cacciata urlando che si accontenti d'un sì mite castigo. Proprio quella settimana, in Iran, una bambina di tredici anni è morta lapidata perché il fratello l'aveva violentata e messa incinta. Però il padre è «integrato». «Moderato» e «integrato». Fino a tre anni fa permetteva addirittura che Muhammad bevesse la birra, frequentasse i night-club, e si vestisse all'occidentale. Dico fino a tre anni fa perché tre anni fa è successa una cosa che si chiama Undici Settembre, e Muhammad è cambiato. Ha cessato di bere la birra, di vestirsi all'occidentale, s'è fatto crescere la barba, e anziché i night-club ha preso a frequentare la moschea di El Tawheed dove (sorpresa, sorpresa) l'imam predica contro i cristiani. Dice che vanno uccisi, bruciati perché gli ebrei e i cristiani vanno trattati «come legna da ardere». Se sono omosessuali, invece, vanno buttati giù dalla finestra d'un ultimo piano. E a udire queste cose Muhammad è diventato molto religioso. Ha fatto perfino il testamento della Jihad cioè è entrato a far parte dei giovani mussulmani che anche in Europa sono pronti a fare quello che i kamikaze fanno in Iraq e in Israele o dove càpita. Il testamento è un foglietto scritto a mano in arabo e in olandese. Dice: «Inzuppate nel sangue! Sono queste le mie ultime parole trafitte dalle pallottole». Muhammad Bouyeri lo porta sempre con sé, quello stupido testamento. Ma, a quanto pare, non è il solo. Il presidente della moschea Al Owna, la più importante di Amsterdam, dice: «Sì, tra i giovani mussulmani di questa città la vocazione al martirio è molto diffusa». (Forse è questo che i nostri editorialisti-arcobalenisti intendono quando scrivono sui loro giornali: «Da Roma a Londra, da Parigi a Berlino, le città europee sono un crogiolo vitale di multiculturalismo»). Posso continuare?

Continui, continui.

Muhammad Bouyeri oggi indossa un djellaba marrone e un mantello nero. Sotto il mantello ha una pistola carica, una piccola spada, un pugnale, e una lettera indirizzata alla parlamentare di origine somala che col coraggioso script ha aiutato Theo van Gogh a girare il cortometraggio. Una lettera di cinque pagine e che incomincia così. «Egregia signora Hirsi Alì! Da quando è entrata nell'arena politica dell'Olanda Lei terrorizza senza sosta i mussulmani e l'Islam. Ed essendo atea, liberale, col Suo rinnegare la fede non ha soltanto voltato le spalle all'Islam: s'è messa a marciare nei ranghi dei Soldati del Male. Per questo è stata remunerata con un seggio parlamentare, no?». E poi, citando le tremende sure 80 e 81 del Corano: «Signora Hirsi Alì, con le sue nefandezze Lei ha scagliato un boomerang, e prima che se ne accorga quel boomerang sigillerà la Sua sorte. La morte, signora Hirsi Alì, è il comune denominatore di tutto ciò che esiste. Pei Soldati del Male verrà un giorno di terribili sevizie e tormenti, dice il Libro. Un giorno nel quale urla terrificanti usciranno dai loro polmoni e tutta l'atmosfera sarà piena di Paura. Quale miscredente Lei non mi crederà. Penserà che si tratti d'un dramma inventato, tolto dal Libro. Eppure scommetto sulla mia vita che mentre legge queste parole il Suo corpo gronda di sudore. Il Sudore della Paura. Ayyan

Hirsi Alì, l'Islam ti frantumerà! E grazie al sangue dei suoi martiri l'Islam trionferà. Con la sua spada caccerà il male nelle tane oscure, con la sua luce illuminerà ogni angolo buio della terra. La lotta che abbiamo ingaggiato è diversa dalle precedenti. Niente discussioni, niente dimostrazioni, niente sfilate, niente petizioni, nella nostra lotta. Per noi, solo la Morte separa la Verità dalla Bugia». Infine, cinque capoversi scritti con le maiuscole: «Sono certo, America, che tu perirai. Sono certo, Europa, che tu perirai. Sono certo, Olanda, che tu perirai. Sono certo, Ayyan Hirsi Alì, che tu perirai. Voi tutti infedeli morirete». Ma Theo van Gogh non lo sa. Non sapendolo raggiunge Linnaeusstraat, e che ha fatto una sciocchezza a eludere la scorta lo capisce soltanto quando è ormai troppo tardi per accelerare o scantonare. Cioè quando Muhammad Bouyeri esce dal vicolo che sbocca sul marciapiede e punta la rivoltella. «Non farlo, non farlo!» grida Theo van Gogh disperato. Lo grida anche una signora in bicicletta che si trova a pochi passi da lui: «Non farlo, non farlo!». Ma naturalmente Muhammad Bouyeri spara lo stesso. Nove colpi che eccetto uno, quello che colpisce di striscio la signora, finiscono tutti nel corpo dell'infedele. Poi Muhammad Bouyeri ripone la pistola in una tasca. Tira fuori la piccola spada, si avvicina a

Theo che disteso sul marciapiede agonizza, e lo sgozza. Proprio come fanno a Bagdad. Dopo averlo sgozzato gli trafigge più volte il torace, quindi ripone anche la spada. Estrae da un'altra tasca i cinque fogli, la lettera per Ayyan Hirsi Alì, e dopo aver fatto un buco all'altezza dell'ombelico li infila nel ventre di Theo. Con calma, dice la signora colpita di striscio. Con scrupolo. Posso continuare?

Continui...

Dopo l'arresto, la polizia ha detto che Muhammad Bouyeri non è né un pazzo né un solitario. Non ha agito né d'impulso né di sua personale iniziativa, insomma: contro di lui era stata emessa una fatwa, e ad emetterla aveva provveduto un gruppo legato ad Al Qaida. Nel corso d'una sparatoria dove tre poliziotti sono rimasti gravemente feriti, sei di quel gruppo sono stati infatti arrestati. E senza tirarla lunga hanno ammesso d'aver partecipato, sia pure indirettamente, all'operazione. (L'assassinio lo chiamano «operazione»). Erano, sono, anch'essi marocchini. In Olanda vivono trecentomila marocchini. Vivono quasi altrettanti turchi, in totale i mussulmani sono un milione e noti bene: l'Olanda ha soltanto sedici milioni di abitanti. Noti inoltre che i mussulmani incominciarono ad arrivare negli Anni Sessanta, quando nel paese esistevano solo cinque moschee. Negli Anni Settanta le moschee divennero trenta, negli Anni Ottanta divennero duecentocinquanta, ed oggi sono quattrocentoquarantasei. E poi noti che gran parte di quei mussulmani sono diventati cittadini olandesi, che hanno tutti i diritti degli olandesi. Davvero l'Olanda è assai liberale, assai tollerante. È il paese di Baruch Spinoza: l'uomo, il filosofo, che gettò le basi della democrazia più liberale che esista in Europa. È così liberale, l'Olanda, così tollerante, che quando un immigrato viene tratto in arresto il governo proibisce ai giornali di rivelare la sua nazionalità e il suo cognome. (Di solito anche il nome, e ringraziare Iddio se ti forniscono le iniziali). Questo, sia che si tratti d'uno col permesso di soggiorno e basta, sia che si tratti d'un naturalizzato. «Rivelare che il crimine è stato commesso da un marocchino o da un algerino o da un nigeriano non gioverebbe al multiculturalismo» dice l'ultra-tollerante sindaco di Amsterdam. Eppure i mussulmani non amano gli olandesi. Un'inchiesta recente ha appurato che il 78 per cento dei mussulmani li ritengono «depravati». Così se ne stanno per conto loro nei ghetti che hanno creato per evitare il contagio della «civiltà-non-civiltà-occidentale». E non dimentichiamo che il 6 maggio del 2002 in Olanda venne assassinato un altro olandese che, vedi caso, non piaceva ai mussulmani. Si chiamava Pim Fortuyn. Era un uomo politico di grande successo, ed aveva lanciato una campagna contro l'immigrazione. Alle amministrative di Rotterdam aveva grazie a ciò ottenuto il 34 per cento delle preferenze, e tutti pensavano che avrebbe vinto le politiche. A uccidere Pim Fortuyn fu un olandese animalista e ambientalista. Non un mussulmano. Ma nessuno indagò sui sospetti che l'assassinio fosse stato istigato da un mussulmano. Strano. Tanto strano quanto il fatto che nessuno dica mai come morì Bob Kennedy. Morì ucciso da un mussulmano che si chiamava Siran Siran, ricorda? Un mussulmano che ancora oggi (venne condannato all'ergastolo) dice d'averlo ucciso perché era amico degli ebrei. Che essendolo danneggiava la causa palestinese. E ora basta. Cambiamo argomento.

Sì, parliamo della clamorosa vittoria dell'odiatissimo Bush. A che cosa crede che sia dovuta?

Ho una tesi, su quella vittoria, che le sembrerà bizzarra. Ma chi conosce gli americani come li conosco io la prenderà invece sul serio. Io non penso che Bush abbia vinto perché come candidato era assai più convincente di Kerry. Più coerente, inoltre, e sinceramente deciso a vincere la guerra dichiarata da Bin Laden. Una guerra in cui crede come ci crede la maggioranza degli americani. Per vincere una guerra (e molte altre cose) bisogna crederci. Gli americani persero la guerra in Vietnam perché non ci credevano. I vietnamiti la vinsero perché ci credevano. Non penso nemmeno che Bush abbia vinto perché l'America del Dio-Patria-Famiglia è più forte dell'America opposta (ammesso che lo sia veramente) a quei principii. Io penso che Bush abbia vinto per via del comizio televisivo di Bin Laden. L'idea stessa di rivolgersi agli americani per confermargli che l'Undici Settembre lo aveva concepito e voluto lui, poi per dirgli che non dovevano votare Bush e che se lo avessero votato si sarebbero beccati un altro Undici Settembre, è stata troppo provocatoria, troppo tracotante. Un popolo che non è un popolo imbelle, un popolo che è un popolo orgoglioso, non poteva che fare il contrario di quel diktat. Mai porre un diktat agli americani. Mai. Il popolo s'impermalisce, s'incazza. Ricorda d'aver fatto la Guerra d'Indipendenza, la Rivoluzione Americana, d'aver trasformato un pugno di piccole colonie nel paese più forte del mondo, e fa esattamente il contrario. Quelli non sono nemmeno popolo: sono categorie e basta. Il popolo vero. Quello degli agricoltori dell'Ohio, del Missouri, dell'Oklahoma. Quello dei cowboys del Texas, dei montanari dell'Idaho e del Montana, dei pescatori della Florida e della Louisiana. Il popolo che a New York non si vede, a Los Angeles non si vede, nelle città frequentate dai turisti non si vede, perché sta nelle campagne. Ad esempio nelle sterminate pianure dove il grano si semina con l'aereo ma il contadino che semina il grano con l'aereo resta un contadino, un erede dei pionieri, un uomo (o una donna) battagliero e orgoglioso. E a ciò bisogna aggiungere il fatto che gli americani hanno la memoria lunga. Allo stesso modo in cui non hanno mai dimenticato la porcheria commessa dai giapponesi a Pearl Harbor, e non la dimenticheranno mai, non hanno dimenticato l'Undici Settembre. E non lo dimenticheranno mai. Infatti quando vidi il Mostro che vestito da sultano diceva quello che disse, esclamai: «Che regalo sta facendo a Bush!». Poi pensai: «Bin Laden è troppo intelligente per non sapere che gli sta facendo un regalo. Perché glielo fa? Che cosa sta tramando, di nuovo, che cosa ci vuol gettare addosso? L'atomica?». Pensai anche agli americani che lo guardavano e che lo ascoltavano. E mi parve di sentire i loro berci: «You fucking bastard! Fottuto bastardo, usi la fottuta televisione per dirmi che cosa devo fare a casa mia, e in più mi minacci?!? I'll show you, te lo farò vedere chi conta a casa mia. Conto io, fucking bastard». E a quelle elezioni votò anche chi, altrimenti, non avrebbe votato. Chi, a votare, di solito non ci andava. (In America votare è una rottura di scatole tremenda. Perché il certificato elettorale non te lo mandano a casa: per averlo devi iscriverti agli albi elettorali, andare a prenderlo, e pure pagarlo. Questo rende il tuo voto moralmente e psicologicamente prezioso ma costa una gran perdita di tempo). Oh, sì: fu per fare dispetto a Bin Laden che stavolta gli americani misero insieme la più alta percentuale di votanti mai vista in America. Fu per rispondere alla sua provocazione, che rimasero ore e ore in coda dinanzi ai seggi elettorali e votarono Bush, gli dettero quasi più preferenze di quante ne avessero date nel 1789 a George Washington. Oh, che bel popolo è il popolo americano quando vuole! E che lezione ci dette!

Lei come reagì alla vittoria?

Mi divertii molto. Mi divertii tanto. Anzitutto grazie ai giornali che si auguravano disperatamente la sconfitta di Bush e che a forza di augurarsela finirono col crederci. Non ragionarono, e aggrappandosi ai poll Politically Correct uscirono con la notizia che Kerry stava vincendo. *Cor-*

riere della Sera incluso. In mezza Italia il *Corriere* uscì con la notizia che Kerry stava vincendo anche in Florida e Ohio, i due Stati che chissà perché la imbroccano sempre. Votano sempre per il candidato che vincerà. Questo senza contare la ormai celeberrima figuraccia del *Manifesto* che a tutta pagina pubblicò il beffardo titolo «Good Morning America» e la fotografia di Kerry con le dita divaricate in segno di vittoria. Soltanto il *Foglio* fece una splendida figura. Ben sapendo che la fortuna aiuta gli audaci, e sia pur pubblicando la fotografia del *Chicago Tribune* che nel 1947 aveva attribuito a Truman la sconfitta di Dewey, ebbe il coraggio di stampare la notizia della vittoria prima che lo stesso Bush ne venisse informato... La seconda parte del divertimento mi venne dai politici del Centro-Sinistra che avevano auspicato con irrefrenabile ardore la vittoria di Kerry, sicché dopo la vittoria di Bush non sapevano come salvare la faccia. E grazie a loro la risata più gioiosa me la strappò il povero Mortadella che di Bush aveva sempre detto peste e corna e contumelie. «Sarebbe una tragedia se vincesse lui! Una tra-ge-dia!». Ma poi fu il primo a congratularsi, a fargli lunghissimi inchini: «Mi complimento vivamente col presidente Bush per la sua riconferma in elezioni né facili né scontate. Il presidente Bush ha governato il paese nel momento più drammatico (sic) della sua Storia facendo fronte al drammatico (sic) attacco del terrorismo...». (E via, naturalmente, la parola «islamico»). Quanto a Kerry, ecco: una risatina se la sarebbe meritata. Se non altro, come punizione di ciò che aveva detto sui nostri soldati parlando dell'Iraq. Aveva detto: «Le condizioni dell'esercito iracheno erano talmente patetiche che perfino l'esercito italiano avrebbe potuto prenderlo a calci nel culo». Ma preferii non infierire. Comunque fui contenta, sì, che vincesse Bush. E con Bush, sua moglie Laura che assomiglia tanto alla nostra mamma. Infatti quel giorno disfeci le valige posate per terra e a Niuatoputapu non pensai più.

Eppure la scorsa estate disse che Bush non è un'aquila.

No, non lo è. Ma a volte bisogna accontentarsi di ciò che offre la piazza. E sa che aggiungo? A me non è mai andato bene nulla di ciò che dice Kissinger, e insieme a Lei la scorsa estate l'ho servito di barba e capelli. Ma quando lo incontrai alla Casa Bianca per fissare la data della famosa intervista mi disse una cosa su cui è il caso di riflettere. Mi disse: «Un leader non ha bisogno d'essere intelligente. Ha bisogno d'essere forte, deciso, energico. A un leader non serve essere un genio. Serve essere risoluto, determinato. All'occorrenza, caparbio». Bè, secondo me Bush lo è più di quanto sembri. Anche senza essere un'aquila. Nonostante i suoi errori ha tenuto e per ora tiene testa al Mostro e a parte Blair non vedo nessun altro, in Occidente, che difenda come lui l'Occidente.

E quando superò la stanchezza dell'anima che aveva provocato quei cedimenti? Quando ritrovò del tutto sé stessa?

Quando accadde ciò che accadde per la morte di Arafat. Quando una certa Italia si abbandonò ai piagnistei per Arafat, all'apoteosi di Arafat. Manco fosse morto Garibaldi. Non era morto Garibaldi. Era morto un terrorista anzi il padre del terrorismo: colui che, coi suoi sequestri degli aerei e i suoi attacchi negli aeroporti o sulle navi, il terrorismo lo aveva portato anche in Italia. Era morto un uomo che aveva seminato e insegnato a seminare soltanto cattiveria. Che a causa della sua pochezza, della sua meschineria, s'era lasciato sfuggire tutte le occasioni offertegli dalla Storia per dare un futuro al suo popolo. Pensi a Camp David dove a un certo punto Barak s'era detto pronto a discutere su Gerusalemme ma, sempre indossando la sua fottuta uniforme, lui si mise a fare le bizze: no, Gerusalemme-la-voglio-tutta-per-me. Era morto un uomo senza idee. Un uomo che sapeva maneggiare soltanto esplosivi e fucili, che la sua gente sapeva esclusivamente mandarla a morire. A uccidere e a morire. Che il suo popolo lo aveva sempre tenuto nella povertà, nell'ignoranza, nella corruzione, nella merda. E che a sé stesso, invece, aveva dato fiumi di denaro. Ricchezze da capogiro. Cara amica, la Morte non cancella le colpe. Chi parla bene dei morti soltanto perché sono morti mi infastidisce come i preti che con un ego-te-absolvo in extremis credono di liquidare i peccati commessi durante una vita. Quindi pane al pane e vino al vino: di Arafat non resta nulla fuorché il suo patrimonio personale. Il patrimonio da re Mida su cui, prima dei funerali, i capi palestinesi si accapigliarono con Suha: la mogliaccia bionda o pseudo-bionda. «Sputa l'osso. Quei soldi appartengono al popolo palestinese». «No, appartengono a me. Li ha lasciati a me». «Molla il grisbi. È roba della Palestina». «No, è roba mia. La moglie ero io». Fidandomi della rivista *Forbes*, la scorsa estate dissi che il suo patrimonio personale ammontava a duecento milioni di dollari pari a quattrocento miliardi di vecchie lire italiane. Errore. Erano molti di più. Il *New York Post* dice oltre settecento milioni di dollari. Il *Maariv International*, di oltre un miliardo e trecento milioni di dollari. Accumulati sotto falsi nomi e cifre in codice nelle banche della

Svizzera, della Francia, dell'America, degli Emirati, e Dio sa in quanti altri paesi. Investiti in case, aziende, imprese di ogni tipo. Ad esempio in una linea aerea nelle Maldive, una compagnia di spedizioni in Grecia, una miniera di diamanti in Africa, una piantagione di banane non so dove. Accumulati come? Prima, coi fondi elargiti dalla Casa Reale Saudita attraverso l'allora ministro del petrolio Zaki Yamani. Poi, dagli Emirati e dalle istituzioni come l'Unione Europea. Vale a dire da noi che paghiamo le tasse. Già nel 1972, quando lo intervistai ad Amman, la sua avidità mi indignò talmente che a Farouk el Kaddoumi (colui che oggi capeggia l'Olp) in privato chiesi: «Ma perché ve lo tenete, perché lo sopportate?!?». E Farouk el Kaddoumi, uomo molto intelligente, terrorista anche lui sì ma intelligente, rispose: «Perché i soldi ce li ha lui. Li tiene lui». Poi strofinò l'indice e il pollice della mano destra, e mi strizzò l'occhio. (Non l'ho mai raccontato prima perché non volevo esporre el Kaddoumi alla vendetta di quel Premio Nobel per la Pace). Posso continuare?

Continui, continui.

Altro che Premio Nobel per la Pace! Con lui era diventata una macchina per fare soldi, la Palestina, la Causa Palestinese. E nessuno lo sa meglio di chi, piombando a Parigi per farsi consegnare il malloppo, liquidò Suha con una buona uscita di venti milioni di dollari più trentacinquemila dollari al mese più varie proprietà immobili intestate a suo nome. Tra queste, la villa alla periferia di Parigi. Quisquilie, me ne rendo conto, rispetto ai centomila dollari che ogni mese re Mida pescava dal bilancio dell'Autorità Palestinese per mandarli alla consorte che lo aveva piantato per stare a Parigi. Il fatto è che di quel patrimonio nessuno riuscirà mai a recuperare tutto, e sa qual è il motivo principale? È che i codici veramente segreti li conosceva lui e basta. A memoria. Così quando perse conoscenza anch'essi andarono perduti. Ah! Ci vorrebbe Shakespeare per raccontar bene la squallida morte di Arafat. Quel coma interminabile. Quei tubi che lo tenevano in vita solo per dare ai nemici di Suha il tempo necessario a risolvere la rissa finanziaria. Ma sa quale sarebbe la parte più tragica di questa storia? Il cervello di Arafat che si spenge e spengendosi dissolve tutti i numeri segreti, tutti i nomi falsi, tutti i codici che soltanto lui conosceva. E per ogni numero, ogni nome, ogni codice, una fila interminabile di morti. Le creature che egli aveva ucciso o fatto uccidere. Israeliani, palestinesi, italiani, inglesi, francesi, americani... Comunque ciò che mi indusse a superare la stanchezza dell'anima, a ritrovare me stessa, non fu questo.

Che cosa fu?

Fu il lago di lacrime che in Italia vidi versare per lui. Ed anche l'apoteosi che gli tributò il Parlamento quando al solo udire il nome di Arafat tutti scattarono in piedi applaudendo come se si parlasse davvero di Garibaldi. E poi i funerali in Egitto. Perché invece di ignorarli, i funerali dell'uomo che aveva portato il terrorismo anche a casa, palazzo Chigi e il Quirinale e il Viminale e la Farnesina si preoccuparono di mandare una persona che rappresentasse ufficialmente l'Italia. E per rappresentare ufficialmente l'Italia scelsero la seconda autorità dello Stato cioè il presidente del Senato che non c'entrava affatto. Che di Arafat non era mai stato (graziaddio) un estimatore, e che di conseguenza non voleva andarci. No-ho-detto-no. Ma invece di continuare a dire no, ho-detto-no, alla fine si lasciò convincere. Il presidente della Repubblica ci teneva molto, mi dicono. E non potendo o non osando andarci personalmente, insistette perché ci andasse lui. E lui ci andò. Scuro in volto, ma ci andò. E soprattutto, ecco il punto, ci andarono quelli del piagnisteo. Dell'apoteosi e del piagnisteo. Volontariamente, loro. Con gli occhi lucidi e i volti mesti. E viaggiando su un aereo fornito dal governo, quindi pagato dai cittadini. Democratici di Sinistra, Rifondazione Comunista, Partito Comunisti Italiani. Rossi, Verdi, Rosa, Azzurri, Neri, Bianchi, a pallini. E menomale che arrivarono in ritardo, racconta Feltri su *Libero*, quando i funerali s'erano già conclusi e la salma di re Mida stava già a bordo dell'elicottero che l'avrebbe portato a Ramallah. Infatti, per consolarsi, gli pagarono un bel necrologio sul *Corriere della Sera*. Ergo...

Ergo, che accadde?

Suonarono le trombe di Gerico. I sacerdoti di Giosuè dettero fiato ai corni d'ariete. Giosuè tuonò «Avanti, popolo!», e il popolo si lanciò all'assalto. Le mura di Gerico crollarono insieme a quelle di palazzo Chigi e del Quirinale e del Viminale e del Botteghino ex-Bottegone Pci, insomma alle sedi del Potere e dell'anti-Potere che è il vero potere. Ed eccomi qua, vispa come un grillo. Corna facendo, mi sento perfino un po' meglio. Voglio dire, un po' meglio rispetto a quando credevo di durare solo qualche settimana, qualche mese. Non bisogna cedere. Bisogna resistere. Io non voglio cedere. Voglio resistere. Perché voglio vedere la sconfitta del Mostro, voglio vedere la vittoria dell'Angelo che lo imprigiona. Voglio essere tra quelli che muoiono senza avere mai avuto sulla fronte e sulla mano il marchio della servitù o della complicità. Lo conosce, no, il bel passaggio dove l'evangelista Giovanni racconta queste cose? «Allora vidi scendere dal cielo un angelo che teneva in pugno la chiave del mondo sotterraneo e una lunga catena. E l'Angelo afferrò il Mostro, lo gettò in quel mondo, con la chiave ne chiuse l'entrata. La sigillò sopra di lui affinché non potesse ingannare più nessuno. Poi, seduti sul trono, vidi coloro a cui Dio aveva chiesto di giudicare i servi del Mostro, i complici del Mostro. Erano le anime dei decapitati, quei giudici, le anime delle persone uccise dal Mostro perché s'erano messe dalla parte del Bene. Erano anche le anime di coloro che ai piedi del Mostro non s'erano mai inginocchiati, che al Mostro non avevano mai eretto statue, e che quindi non avevano mai avuto il marchio sulla fronte e sulla mano. E quei morti tornarono in vita, vissero per mille anni».

Oriana Fallaci

Da qualche parte in Italia
ottobre/novembre 2004

Finito di stampare
nel mese di gennaio 2005 presso il
Nuovo Istituto Italiano d'Arti Grafiche-Bergamo

Printed in Italy